REMÈDE DE CHEVAL

M.C. BEATON

Agatha Raisin ENQUÊTE

REMÈDE DE CHEVAL

roman

Traduit de l'anglais
par Esther Ménévis

ALBIN MICHEL

L'auteur souhaite remercier sa vétérinaire,
Anne Wombill, de Cirencester,
pour toute l'aide qu'elle lui a fournie.
Ce livre lui est dédié, ainsi qu'à son mari, Robin,
affectueusement.

1

Agatha Raisin débarqua à l'aéroport d'Heath-row, bronzée à l'extérieur et rouge de honte à l'intérieur. Comme elle se sentait stupide en poussant son chariot de valises en direction de la sortie !

Elle était partie deux semaines aux Bahamas à la poursuite de son séduisant voisin, James Lacey, car il avait laissé entendre qu'il allait passer des vacances au Beach Hotel de Nassau, la capitale de l'archipel. Lorsqu'il s'agissait de conquérir un homme, Agatha se montrait aussi impitoyable qu'elle l'était autrefois en affaires. Elle avait dépensé beaucoup d'argent dans une garde-robe éblouissante, elle avait maigri avec acharnement de façon à pouvoir exhiber sa silhouette rajeunie de quinquagénaire dans un bikini, mais une fois aux Bahamas, aucune trace de James Lacey. Au volant d'une voiture de location, elle avait fait le tour de tous les hôtels de l'île, en pure perte. Elle s'était même rendue au haut commissariat britannique dans l'espoir qu'on y aurait entendu parler de lui. Quelques jours avant la date prévue de son retour en Angleterre, elle avait passé un appel longue distance pour parler à Mrs. Bloxby, l'épouse du pasteur de Carsely, le village des Cotswolds où elle habitait, et s'était finalement résolue à lui demander où pouvait bien se trouver James Lacey.

La communication était mauvaise et elle entendait encore la voix de Mrs. Bloxby, s'amplifiant et s'affaiblissant tour à tour, comme portée par la marée. « Mr. Lacey a changé d'avis à la toute dernière minute. Il a décidé de passer ses vacances chez un ami à lui, au Caire. Il avait annoncé qu'il partait pour les Bahamas, c'est vrai, je m'en souviens. Et Mrs. Mason avait dit : "Quelle surprise ! Exactement comme notre chère Mrs. Raisin." Et puis du jour au lendemain, nous avons appris que cet ami dont je vous ai parlé l'avait invité en Égypte. »

Agatha n'avait plus su où se mettre, et encore aujourd'hui elle aurait voulu rentrer sous terre ! James Lacey avait changé d'avis dans le seul but de l'éviter, cela ne faisait aucun doute. Rétrospectivement, elle s'apercevait que ses manœuvres de séduction avaient été plutôt flagrantes.

Ce n'était pas la seule raison pour laquelle elle n'avait pas passé de bonnes vacances. Elle avait laissé son chat, Hodge, cadeau du sergent Bill Wong, dans une pension spécialisée mais, sans trop savoir pourquoi, elle était inquiète à l'idée qu'il ait pu mourir.

Au parc de stationnement longue durée de l'aéroport, elle chargea ses bagages dans sa voiture puis se mit en route pour Carsely, se demandant pour la énième fois pourquoi elle avait pris sa retraite aussi jeune – mais oui, la petite cinquantaine, de nos jours, c'était jeune ! – et vendu son entreprise pour venir s'enterrer à la campagne.

La pension se situait à la périphérie de Cirencester. Elle se présenta à la porte de la maison et fut accueillie avec mauvaise grâce par la grande perche qui était propriétaire des lieux. « Vraiment, Mrs. Raisin ! Je m'apprêtais à sortir. Vous auriez pu avoir la prévenance de téléphoner.

– Allez chercher mon chat… *tout de suite* ! répondit-elle avec un regard mauvais. Et sans traîner ! »

La femme s'éloigna avec raideur, le moindre de ses mouvements clamant son indignation, et ne tarda pas à revenir avec Hodge miaulant dans son panier. Faisant la sourde oreille à ses récriminations, Agatha régla la note.

Elle décida que ses retrouvailles avec son chat lui apportaient un grand réconfort, puis se demanda si elle en était réduite au statut de dame de la campagne, condamnée à s'extasier sur son animal domestique.

Son cottage, tapi sous l'énorme poids de son toit de chaume, l'attendait tel un vieux chien fidèle.

Une fois le feu allumé et le chat nourri, un whisky bien tassé dans le gosier, Agatha sentit qu'elle survivrait. Que James Lacey aille se faire foutre, lui, et tous ses congénères !

Le lendemain matin, en allant faire quelques courses et exhiber son bronzage chez Harvey, l'épicerie du coin, elle tomba sur Mrs. Bloxby. Elle était toujours aussi gênée au souvenir de son coup de téléphone, mais l'épouse du pasteur, avec sa délicatesse coutumière, n'y fit aucune allusion, se contentant de lui annoncer la tenue d'une réunion de la Société des dames de Carsely le soir même au presbytère. Agatha promit d'y assister, tout en se faisant la réflexion que sa vie sociale ne pouvait tout de même pas se résumer à prendre le thé au presbytère.

Elle avait presque envie de ne pas y aller. À la place, elle pourrait dîner au Red Lion, le pub du village. Mais d'un autre côté, elle avait promis à Mrs. Bloxby, et bizarrement, les promesses faites à Mrs. Bloxby étaient de celles qu'on respecte.

Lorsqu'elle sortit de chez elle ce soir-là, un épais brouillard était descendu sur le village, un brouillard glacial qui étouffait tous les bruits et transformait les buissons en agresseurs prêts à bondir.

Pas une dame de Carsely ne manquait au milieu de l'agréable fouillis du salon du presbytère. Rien n'avait changé. Mrs. Mason était toujours présidente, et Miss Simms, en chaussures blanches et robe minuscule à la Minnie Mouse, toujours secrétaire. Pressée de raconter ses vacances par le menu, Agatha vanta le soleil et le sable chaud, tant et si bien qu'elle commença à se persuader qu'elle était réellement contente de son séjour.

On lut le compte rendu de la séance précédente, on discuta d'une collecte de fonds pour l'organisation Save The Children, d'une excursion pour les vieux du village, puis on reprit du thé et du gâteau.

C'est à ce moment-là qu'elle entendit parler du nouveau vétérinaire. Le village de Carsely avait enfin son propre cabinet vétérinaire ! On avait construit une extension au bâtiment de la bibliothèque, où Paul Bladen, un praticien de Mircester, tenait des consultations deux après-midi par semaine, le mardi et le mercredi.

« Au début, on s'est dit : "À quoi bon ?", expliqua Miss Simms, parce qu'on a l'habitude d'aller chez le véto à Moreton. Mais Mr. Bladen est tellement bien !

– Et tellement bien fait de sa personne, aussi, intervint Mrs. Bloxby.

– Jeune ? demanda Agatha avec un vague intérêt.

– Oh, la quarantaine, je pense, répondit Miss Simms. Pas marié. Divorcé. Il a un regard pénétrant, et ses mains, qu'est-ce qu'elles sont belles ! »

Le vétérinaire n'intéressait pas particulièrement Agatha, car son esprit était encore absorbé par James Lacey. Elle aurait aimé qu'il rentre de vacances, histoire de pouvoir lui montrer qu'elle se souciait de lui comme d'une guigne. Et donc, pendant que ces dames se répandaient en éloges sur Paul Bladen, elle resta assise à imaginer le scénario de sa prochaine rencontre avec son voisin : ce qu'il lui dirait, ce qu'elle lui répondrait, et sa surprise quand il comprendrait qu'il avait interprété à tort l'amabilité ordinaire d'une bonne voisine comme une tentative de séduction.

Mais les Parques voulurent qu'Agatha rencontre Paul Bladen dès le lendemain.

Elle était à la boucherie, où elle avait décidé d'acheter un steak pour elle et des foies de volailles pour Hodge. « Bonjour, m'sieur Bladen », fit le boucher ; elle se retourna.

Bel homme, la petite quarantaine, Paul Bladen avait une épaisse chevelure ondulée d'un blond saupoudré de gris, des yeux marron clair qui se plissaient comme pour se protéger du soleil du désert, une bouche ferme, plutôt sensuelle, et un menton carré. Mince, de taille moyenne, il portait une veste en tweed avec des coudières, un pantalon de flanelle et, comme il faisait ce jour-là un froid glacial, une vieille écharpe aux couleurs de l'université de Londres autour du cou. Il rappela à Agatha le temps béni où les étudiants d'université s'habillaient encore comme des étudiants d'université et non, comme aujourd'hui, en tee-shirt et jean effiloché.

Ce que vit Paul Bladen, quant à lui, ce fut une

femme d'âge mûr à la silhouette trapue, aux cheveux châtains, brillants, et aux petits yeux d'ours dans un visage bronzé. Qui portait, remarqua-t-il aussi, des vêtements très chers.

Agatha tendit la main avec brusquerie et se présenta, lui souhaitant la bienvenue dans le village de sa meilleure voix de châtelaine. Il lui sourit en la fixant droit dans les yeux, sans lâcher sa main, et murmura quelque chose à propos de la météo effroyable. Elle oublia complètement James Lacey. Enfin presque. Qu'il aille se faire pendre en Égypte ! Elle espérait qu'il avait attrapé la turista, ou alors qu'il s'était fait mordre par un dromadaire !

« Justement, roucoula-t-elle à l'intention de Paul Bladen, je m'apprêtais à venir vous voir. Avec mon chat. »

Était-ce une illusion, ou un léger voile de glace passa-t-il vraiment sur les yeux rieurs du vétérinaire ? Mais il répondit : « Il y a des consultations cet après-midi. Pourquoi ne pas amener votre animal ? À deux heures, disons ?

– Comme c'est merveilleux d'avoir enfin notre vétérinaire à nous ! » s'exclama-t-elle avec enthousiasme.

Il la gratifia à nouveau de ce sourire intime caractéristique, et quand elle sortit de la boucherie, elle était au septième ciel. Le brouillard n'avait pas relâché son étreinte sur la campagne, même si là-haut, très loin, un petit disque rouge de soleil essayait de percer et répandait une pâle lumière rose sur le paysage couvert de givre, rappelant à Agatha les calendriers de l'Avent de sa jeunesse, où les scènes hivernales étaient toujours scintillantes.

Elle passa devant le cottage de James Lacey sans lui accorder un regard, en se demandant comment elle allait s'habiller. Quel dommage que tous ses nouveaux vêtements aient été conçus pour temps chaud !

Sous le regard intrigué de son chat tigré, elle étudia son visage dans le miroir de la coiffeuse. Le bronzage, c'était bien joli, mais rien ne valait une bonne couche de maquillage sur une peau mature. Il y avait sous son menton un renflement mou qui ne lui plaisait pas, et les rides encadrant sa bouche étaient plus prononcées qu'avant son départ, ce qui semblait confirmer tous ces sinistres avertissements quant à l'action néfaste du soleil sur la peau.

Elle se tartina le visage de crème nourrissante puis farfouilla dans sa garde-robe, et se décida finalement pour une robe rouge cerise assortie d'un manteau noir ajusté à col de velours. Ses cheveux étaient brillants et vigoureux : elle décida donc de ne pas porter de chapeau. Comme il faisait un froid de canard ce jour-là, elle aurait dû mettre ses bottines, mais elle avait de nouvelles chaussures italiennes à talons et elle savait que ses jambes étaient belles.

C'est seulement après deux heures de préparatifs minutieux qu'elle se rendit compte qu'il lui fallait avant tout attraper son chat ; elle finit par le débusquer dans un coin de la cuisine et le fourra sans aucun ménagement dans son panier en osier. Les gémissements de Hodge déchiraient l'air, mais, sourde aux protestations de son animal, pour une fois, elle trottina sur ses hauts talons jusqu'au cabinet. Quand elle arriva, elle avait les pieds tellement gelés qu'il lui semblait marcher sur deux blocs de douleur.

Elle poussa la porte et entra dans la salle d'attente. La pièce était bondée. Il y avait là Doris Simpson, sa femme de ménage, avec son chat ; Miss Simms avec son Tommy ; Mrs. Josephs, la bibliothécaire, avec un gros matou galeux du nom de Tewks ; ainsi que deux agriculteurs : Jimmy Page, qu'elle connaissait, et un homme solidement charpenté qu'elle ne connaissait que de vue, Henry Grange. Auxquels s'ajoutait enfin une nouvelle habitante du village.

« Mrs. Huntingdon, qu'elle s'appelle, chuchota Doris. Elle a acheté le vieux Cottage de Droon, derrière le village. Une veuve. »

Agatha lorgna la nouvelle venue d'un œil jaloux. Malgré les efforts du Front de libération animale pour que les femmes arrêtent de porter de la fourrure, Mrs. Huntingdon arborait un manteau de vison et un élégant chapeau assorti. La délicate fragrance d'un parfum français flottait autour d'elle. Son joli petit minois évoquait celui d'une poupée en porcelaine, avec de grands yeux noisette bordés

17

de (faux ?) cils et une bouche peinte en rose. Son petit jack russell aboyait furieusement et se dressait au bout de sa laisse en essayant d'atteindre les chats. Mrs. Huntingdon n'avait pourtant pas l'air de remarquer le bruit, ni les regards menaçants que lui lançaient les maîtresses des minets en question. En plus, elle était assise juste devant le seul radiateur de la pièce.

Malgré les panneaux DÉFENSE DE FUMER placardés sur tous les murs, elle alluma une cigarette et rejeta la fumée en l'air. Dans la salle d'attente d'un médecin, où les patients n'ont à se soucier que d'eux-mêmes, il y aurait eu des protestations. Mais la salle d'attente d'un vétérinaire est un endroit singulier où, rongé d'inquiétude pour son animal de compagnie, le plus brave des hommes – ou la plus brave des femmes – devient un être timoré.

D'un côté de la pièce, une assistante faisant office de réceptionniste était assise derrière un bureau. C'était une jeune femme ordinaire, aux cheveux châtains raides et ternes et à l'accent nasillard de Birmingham, qui répondait au nom de Miss Mabbs.

Doris Simpson fut la première à passer et ne resta pas plus de cinq minutes à l'intérieur. Agatha frotta furtivement ses pieds et ses chevilles glacés. Il n'y en aurait pas pour longtemps.

Mais ensuite, Miss Simms resta une demi-heure dans le cabinet, dont elle ressortit, enfin, les yeux brillants et les joues toutes roses. Ce fut alors le tour de Mrs. Josephs. Au bout d'un long moment, elle reparut en murmurant : « Quelle main ferme que celle de Mr. Bladen », tandis que son antique chat reposait sur le dos dans son panier tel un cadavre.

Lorsque Mrs. Huntingdon eut été introduite dans le cabinet, Agatha alla trouver Miss Mabbs : « Mr. Bladen m'avait dit de venir à deux heures. Cela fait très longtemps que j'attends.

– Les consultations commencent à deux heures. C'est sans doute ce qu'il a voulu dire. Il faut attendre votre tour. »

Bien décidée à ne pas s'être mise sur son trente-et-un pour rien, Agatha prit d'un air boudeur un numéro de *Vogue* vieux de cinq ans et battit en retraite vers sa chaise en plastique dur.

Elle attendit, attendit encore que la veuve joyeuse au chien reparaisse, mais les minutes s'égrenaient lentement, et en entendant une cascade de rires en provenance du cabinet, elle se demanda ce qui pouvait bien s'y passer.

Trois quarts d'heure s'écoulèrent, pendant lesquels elle termina le numéro de *Vogue* ainsi qu'un exemplaire – bien conservé pour ses vingt ans – de *Good Housekeeping*, avant de se plonger dans un vieux numéro annuel de *Scotch Home* contant l'histoire d'un beau *laird* des Highlands qui avait abandonné la femme de sa vie, la farouche Morag des vallons, pour Cynthia, une vulgaire catin peinturlurée de Londres. Enfin, Mrs. Huntingdon sortit, son chien dans les bras. Elle sourit vaguement à l'assistance avant de partir, et Agatha l'incendia du regard en retour.

Il ne restait plus que les deux agriculteurs et elle. « M'est avis que j'reviendrai plus ici, dit Jimmy Page. Une journée d'perdue, qu'ça s'rait. »

Mais son cas fut traité très rapidement, car il était venu chercher une ordonnance pour des antibiotiques, qu'il remit ensuite à Miss Mabbs. L'autre fermier avait lui aussi besoin de médicaments, et Agatha retrouva sa bonne humeur en le voyant reparaître au bout de quelques instants. Elle avait eu l'intention de réprimander le vétérinaire pour l'avoir fait attendre si longtemps, mais voilà qu'il était là, avec son sourire suave, sa poignée de main ferme et son regard, si pénétrant et si intime.

Se sentant tout à la fois palpitante d'émotion et coupable, car il n'y avait rien qui clochait chez Hodge, elle répondit à son sourire par un sourire hébété.

« Ah, Mrs. Raisin ! fit-il. Sortons ce chat du panier. Comment s'appelle-t-il ?

– Hodge.

– Comme le chat du Dr Johnson.

– Du docteur quoi ? Votre associé à Mircester ?

– Non, le Docteur *Samuel* Johnson, Mrs. Raisin, l'écrivain du dix-huitième siècle !

– Oui, eh bien, comment aurais-je pu deviner ? » s'agaça-t-elle.

Pour sa part, elle estimait que le Dr Johnson

faisait partie de ces vieux schnocks, comme le si spirituel sir Thomas Beecham, que les snobs citaient volontiers dans les dîners mondains. C'était James Lacey qui lui avait suggéré le nom du chat.

Pour dissimuler son irritation, elle posa le panier de Hodge sur la table d'examen, tira le loquet et ouvrit le battant. « Allez minou, il faut sortir », roucoula-t-elle à l'intention de l'animal qui, l'air menaçant, s'était tapi au fond du panier.

« Laissez-moi faire », dit Paul Bladen en la poussant sur le côté.

Sur quoi, il fourra la main dans le panier, en extirpa brutalement Hodge et le tint en l'air par la peau du cou tandis que l'animal se débattait et miaulait tant et plus.

« Oh, mais arrêtez ! Vous lui faites peur ! Laissez-moi le prendre.

— Très bien. Il a l'air en parfaite santé. Qu'est-ce qu'il a, comme problème ? »

Hodge nicha sa tête dans l'encolure du manteau de sa maîtresse.

« Heu... il a perdu l'appétit.

— Des vomissements, des diarrhées ?

— Non.

— Bon, il vaut mieux prendre sa température. Miss Mabbs ! »

L'assistante entra et resta debout, tête baissée.

« Tenez le chat », ordonna le vétérinaire.

La jeune femme arracha l'animal à Agatha et le plaqua d'une poigne solide sur la table d'examen.

Le vétérinaire avança vers Hodge armé d'un thermomètre rectal. Était-ce son imagination, ou l'instrument fut-il réellement enfoncé dans le postérieur de son pauvre matou avec une brutalité inutile ? se demanda Agatha. Hodge poussa un miaulement terrible, se libéra tant bien que mal, bondit à terre et alla se terrer dans un coin du cabinet.

« Je me suis trompée ! » s'exclama-t-elle, car tout ce qu'elle voulait maintenant, c'était faire sortir son chat de cette pièce. « Peut-être que je le ramènerai s'il développe des symptômes plus graves. »

Miss Mabbs fut congédiée. Agatha reposa tendrement Hodge dans son panier.

« Mrs. Raisin.

– Oui ? »

Elle scruta le vétérinaire avec ses petits yeux d'ours, d'où toute lueur amoureuse s'était envolée.

« Il y a un restaurant chinois qui n'est pas mal du tout à Evesham. J'ai eu une dure journée et j'ai bien envie de me faire plaisir. Voudriez-vous vous joindre à moi pour le dîner ? »

Agatha sentit se répandre dans son corps de femme d'âge mûr une chaude sensation de contentement. Que tous les chats du monde aillent se faire foutre, et Hodge en particulier !

« J'aimerais beaucoup, répondit-elle dans un souffle.

– Alors je vous retrouve là-bas à huit heures, dit Paul Bladen en lui souriant, les yeux dans les yeux. Ça s'appelle Evesham Diner. C'est une vieille maison dans High Street, dix-septième siècle, vous ne pouvez pas la rater. »

Agatha ressortit dans la salle d'attente désormais déserte en arborant un sourire satisfait. Ah, si seulement elle avait été la première « patiente » à passer, elle aurait pu raconter à toutes les autres femmes qu'elle avait un rendez-vous galant !

Elle s'arrêta tout de même à l'épicerie sur le chemin du retour et acheta à Hodge une boîte de saumon premier choix pour soulager sa conscience.

Lorsqu'elle eut regagné son cottage, qu'elle eut fini de dorloter son chat et l'eut installé devant une belle flambée, elle avait fini de se persuader que le vétérinaire s'était montré ferme et efficace avec son animal, et non délibérément cruel.

Incapable de résister au désir de se vanter de son rendez-vous, elle appela Mrs. Bloxby.

« Devinez quoi ! demanda-t-elle.

– Un autre meurtre ? avança l'épouse du pasteur.

– Mieux que ça. Notre nouveau vétérinaire m'invite à dîner ce soir. »

Il y eut un long silence.

« Vous êtes là ? demanda Agatha avec brusquerie.

– Oui, oui. Je me disais seulement…

– Quoi ?

– Pourquoi est-ce qu'il vous invite ?

– Il me semble que c'est évident ! Je lui plais.

– Oh, pardon, bien sûr que vous lui plaisez ! C'est juste que je trouve qu'il y a quelque chose de froid et de calculateur chez cet homme. Soyez prudente.

– Je n'ai plus seize ans, voyons !

– Très juste. »

Dans ce « très juste », Agatha entendit : « Vous êtes une femme d'âge mûr, facilement flattée par les attentions d'un homme plus jeune. »

« En tout cas, reprit Mrs. Bloxby, soyez vraiment très prudente sur la route. Il commence à neiger. »

Agatha raccrocha, abattue, puis un sourire se dessina sur ses lèvres. Bien sûr, voyons ! Mrs. Bloxby était jalouse. Toutes les femmes du village s'étaient entichées du vétérinaire. Mais qu'est-ce que c'était que cette histoire de neige ? Elle souleva un coin de rideau et regarda dehors. Il tombait de la neige mouillée, en effet, mais elle ne tenait pas sur le sol.

À sept heures et demie, elle se mit en chemin, inconfortablement serrée dans une combinaison étroite sous une robe en laine noire Jean Muir agrémentée d'un collier de perles. Comme elle portait des talons très hauts, elle se déchaussa et conduisit ainsi jusqu'au sommet de la colline dominant le village.

Il neigeait de plus en plus, et soudain, alors qu'elle arrivait en haut de la côte, elle franchit une sorte de seuil invisible et se retrouva à rouler sur une épaisse couche de neige. Mais elle avait devant elle la perspective alléchante d'un dîner avec Paul Bladen.

Elle appuya sur la pédale de frein pour ralentir à l'approche de l'A44, et d'un coup, sans qu'elle ait le temps de dire ouf, la voiture dérapa. Tout se passa très vite. Ses phares balayèrent frénétiquement le paysage hivernal alentour, puis un craquement sinistre retentit quand elle heurta un muret en pierre sur la gauche. Elle éteignit ses feux et coupa le moteur d'une main tremblante, puis resta assise sans bouger.

Une voiture qui arrivait en sens inverse, en direction du village, s'arrêta. Une portière s'ouvrit et se referma. Puis une silhouette sombre surgit à côté d'elle. Elle baissa la vitre. « Est-ce que ça va, Mrs. Raisin ? » fit la voix de James Lacey.

Avant l'arrivée du vétérinaire, avant le fiasco des Bahamas, Agatha avait souvent entretenu des fantasmes où James Lacey volait à son secours après un accident. Mais tout ce qu'elle avait en tête à présent, c'était ce rendez-vous avec son cher vétérinaire.

« Rien de cassé, je crois, répondit-elle, avant de frapper le volant d'un coup de poing rageur. Saloperie de neige ! Dites, vous pouvez me conduire à Evesham ?

– Vous plaisantez, j'imagine ! Le temps va empirer, en tout cas c'est ce qu'annonce la météo. Ils vont fermer l'A44 à Fish Hill.

– Oh, non ! gémit Agatha. On pourrait peut-être passer par un autre chemin. Par Chipping Campden ?

– Ne dites pas de bêtises. Est-ce que votre moteur marche encore ? »

Elle tourna la clé dans le contact : le moteur s'ébranla dans un soubresaut.

« Et vos phares ? »

Elle les alluma, répandant une lumière éblouissante sur une vaste étendue enneigée.

James Lacey examina les dégâts à l'avant de la voiture. « Le verre de vos phares est en mille morceaux, et il va falloir changer le pare-chocs, le radiateur et la plaque d'immatriculation. Vous feriez mieux de faire marche arrière et de me suivre jusqu'au village.

– Si vous ne voulez pas me conduire, je prendrai un taxi.

– Vous pouvez toujours essayer. »

Sur ce, il regagna son véhicule, puis elle l'entendit démarrer. Elle fit marche arrière et le suivit. Une fois au village, il se gara devant chez lui, lui fit un signe de la main et s'engouffra dans son cottage.

Elle bondit de voiture, oubliant qu'elle n'avait pas de chaussures, fonça chez elle, s'empara du téléphone et se mit à appeler l'une après l'autre toutes les sociétés de taxis de la liste épinglée au mur, mais aucun chauffeur n'était prêt à se rendre à Evesham ni nulle part ailleurs un soir comme celui-là.

Zut alors ! se dit-elle, au comble de la fureur. *Ma voiture roule encore, j'y vais.*

Elle enfila une paire de bottes sur ses pieds mouillés et ressortit. Mais arrivée à mi-côte, ses deux phares s'éteignirent brusquement, et elle se retrouva à rouler au pas dans les ténèbres enneigées.

Avec une grande lassitude, elle fit demi-tour et reprit la direction du village. Une fois rentrée chez elle, elle téléphona au restaurant chinois. Non, fit une voix à l'autre bout de la ligne, Mr. Bladen n'était pas là. Oui, il avait réservé une table. Non, il n'était pas arrivé.

Très abattue, elle appela les renseignements, qui lui communiquèrent le numéro du vétérinaire à Mircester. Ce fut une femme qui décrocha.

« Je crains que Mr. Bladen ne soit occupé en ce moment, dit la voix, calme et amusée.

– Je suis Agatha Raisin, répliqua-t-elle d'un ton brusque. Nous avions rendez-vous dans un restaurant à Evesham ce soir.

– Vous ne croyiez tout de même pas qu'il allait prendre le volant par ce temps !

– Qui est à l'appareil, s'il vous plaît ?

– Sa femme.

– Oh ! » Agatha laissa tomber le combiné comme s'il s'agissait d'un charbon ardent.

Il était donc toujours marié ! Qu'est-ce que c'était que cette histoire ? S'il était marié, il n'aurait pas dû lui donner rendez-vous. Agatha avait des opinions très arrêtées sur les relations avec les hommes mariés.

Sans trop savoir pourquoi, elle avait l'impression qu'il avait délibérément cherché à la tourner en ridicule. Ah, les hommes ! Et James Lacey ! Il avait filé chez lui sans même venir s'assurer qu'elle était vraiment sortie indemne de l'accident.

Elle se sentait stupide, et tout ce que ses rêves de rendez-vous galant avec un bel homme lui avaient rapporté, c'était une voiture fichue. Elle passa le reste de la soirée à remplir un formulaire de déclaration d'accident pour l'assurance, avec Hodge ronronnant sur ses genoux.

Le lendemain matin, au lever du jour, le brouillard s'était ajouté à la neige. Une fois de plus, Agatha éprouva cette vieille sensation d'être prise au piège. Elle attendit, attendit encore que le téléphone sonne, certaine que Paul Bladen l'appellerait pour lui dire *quelque chose*. Mais l'appareil resta tapi dans un silence obstiné.

Enfin, elle décida de rendre visite à son voisin, James Lacey, ne serait-ce que pour lui faire comprendre, subtilement, qu'elle ne lui courait pas après. Mais bien qu'une fine colonne de fumée s'élevât de sa cheminée, bien que sa voiture couverte de neige fût garée devant la maison, il ne vint pas ouvrir.

Elle se sentit bel et bien snobée : elle était sûre qu'il était chez lui.

Hodge, en bon égoïste de chat, jouait joyeusement dans la neige du jardin, s'amusant à traquer des proies imaginaires.

Dans l'après-midi, la sonnette retentit. Elle s'examina dans le miroir de l'entrée puis, avec un tube de rouge qu'elle gardait toujours à portée de main sur le guéridon, se maquilla les lèvres. Enfin, après avoir lissé sa robe, elle ouvrit la porte.

« Oh ! c'est vous, fit-elle, baissant les yeux et découvrant la bouille ronde aux traits orientaux du sergent Bill Wong.

– On a vu mieux, comme accueil. Un petit café, ce serait possible ?

– Entrez », dit-elle, et elle se pencha par-dessus l'épaule de son visiteur pour jeter un coup d'œil plein d'espoir dans la ruelle.

« Qui attendiez-vous ? demanda Bill quand ils furent installés dans la cuisine.

– J'attendais des excuses. Notre nouveau vétérinaire, Paul Bladen, m'avait invitée à dîner hier soir à Evesham, mais ma voiture a dérapé en haut de la côte et je n'ai pas pu y aller. Or j'ai découvert qu'il n'y était pas allé non plus ! Quand j'ai appelé chez lui, c'est une femme qui m'a répondu. Elle s'est présentée comme son épouse.

– Impossible. Ils sont restés séparés pendant cinq ans environ, et le divorce a été prononcé l'an dernier.

– Mais à quoi il joue ? s'écria Agatha avec exaspération.

– Je dirais plutôt : avec qui est-ce qu'il joue ? Un soir de neige, aucun moyen de se rendre à Evesham... alors il s'est payé un peu de bon temps chez lui.

– Oui, eh bien, il aurait quand même dû m'appeler.

– À propos de votre vie amoureuse, comment ça s'est passé, aux Bahamas ?

– Bien. J'ai profité du soleil.

– Vous avez croisé Mr. Lacey ?

– Je n'y comptais pas. Il était au Caire.

– Et vous le saviez avant de partir ?

– Qu'est-ce que c'est que ces questions ? Un interrogatoire de police ?

– Des questions d'ami, c'est tout. Je suis content de voir que Hodge est heureux. Il se porte très bien.

– Pour ça, Hodge est en pleine forme. »

Les yeux en amande qui scrutaient Agatha avec intensité étincelèrent dans la lumière neigeuse qui pénétrait par la fenêtre de la cuisine.

« Alors pourquoi le pauvre chat a-t-il dû aller chez ce véto ?

– Vous m'espionnez ?

– Non, je passais par hasard hier, et je vous ai vue l'amener au cabinet dans son panier. Vous devriez porter des chaussures plus confortables par ce temps.

– Je voulais juste vérifier qu'il avait tous ses

vaccins. Et ce que je porte aux pieds, c'est mon affaire. »

Bill Wong leva les mains, puis les laissa retomber.

« Désolé. Y a un truc bizarre, à propos de Bladen, tout de même.

– Quoi ?

– Il est devenu l'associé de Peter Rice, le vétérinaire de Mircester, il y a quelque temps. Vous auriez vu le nombre de femmes qui faisaient la queue, les premières semaines ! Jusque dans la rue. Mais elles ont arrêté de venir. Apparemment, Bladen ne sait pas s'y prendre avec les animaux domestiques. C'est un as avec le bétail et les chevaux, mais il a horreur des chats et des petits chiens.

– Je n'ai pas envie de discuter de cet homme, s'emporta Agatha. Vous n'avez pas d'autre sujet de conversation ? »

Bill lui parla donc de la recrudescence du nombre de vols de voiture dans les environs et lui raconta que, de plus en plus souvent, les crimes étaient commis par des jeunes. Elle l'écouta d'une oreille distraite en espérant que le téléphone allait sonner, histoire de sauver son amour-propre. Mais lorsque Bill finit par s'en aller, le fichu appareil était toujours aussi silencieux.

Elle appela le garage du coin, demanda qu'on vienne remorquer sa voiture accidentée, qu'on lui établisse un devis, puis, quand elle eut regardé partir son véhicule à l'arrière de la dépanneuse, elle décida de se rendre au Red Lion. Elle n'avait plus

31

aucune raison de se mettre sur son trente-et-un. Cela faisait maintenant des mois qu'elle revêtait ses meilleurs vêtements, les plus élégants, chaque fois qu'elle passait devant la porte de James Lacey. Cette fois, elle enfila un gros pull, une jupe en tweed et des grosses chaussures. À l'instant où elle se glissait dans un manteau en peau de mouton, cependant, la sonnerie du téléphone retentit, et elle sursauta.

Elle décrocha, certaine que ce serait enfin Paul Bladen, mais une voix qu'elle ne reconnut pas demanda timidement : « Agatha ?

– Oui. Qui est-ce ? répondit-elle, d'autant plus en colère qu'elle était déçue.

– Jack Pomfret. Tu te souviens de moi ? »

Elle se dérida. Jack Pomfret avait dirigé une entreprise de relations publiques concurrente de la sienne, mais ils avaient toujours entretenu des relations amicales.

« Bien sûr ! Alors, quoi de neuf ?

– J'ai vendu ma boîte à peu près en même temps que toi. J'ai décidé de suivre ton exemple : me retirer tôt, prendre du bon temps. Mais c'est un peu barbant, tu vois ce que je veux dire ?

– Oh, oui ! répondit-elle avec conviction.

– J'envisage de me relancer dans les affaires, et je me demandais si tu voudrais être mon associée.

– Ce n'est pas le bon moment, fit-elle, prudente. On est en pleine récession.

32

– Les grandes entreprises ont besoin de communiquer, et j'en ai deux en vue. Électricité Jobson et les Lessives Blanco. »

Voilà qui impressionna Agatha.

« Tu es dans les parages ? demanda-t-elle. C'est un sujet dont il faut discuter autour d'une table.

– En fait, répondit-il avec empressement, je me disais que si tu pouvais monter à Londres, on pourrait parler affaires sérieusement. »

La perspective de fuir le village, d'échapper à ses espoirs d'amour déçus, poussa Agatha à répondre : « C'est d'accord. Je vais réserver une chambre en ville. Quel est ton numéro ? Je te rappellerai. »

Elle nota le numéro puis, alors qu'elle s'apprêtait à téléphoner à son hôtel préféré, elle s'arrêta net. Satané Hodge ! Elle ne pouvait pas laisser de nouveau cette pauvre bête à la pension. Puis elle se souvint d'une résidence de luxe où elle avait réservé des appartements pour des clients étrangers, une fois ; elle téléphona et trouva à louer un logement pour deux semaines. Les animaux étaient certainement interdits, mais elle n'avait pas l'intention de demander la permission. Hodge pouvait sûrement survivre quinze jours sans sortir. Il faisait un temps pourri, de toute façon.

2

Arrivée à Londres, Agatha ne put pas immédiatement se jeter dans les affaires, car si Hodge, à Carsely, avait limité ses activités destructrices au territoire du jardin, voilà qu'il s'était mis à faire ses griffes sur le mobilier du luxueux appartement de Kensington, si bien qu'elle fut obligée d'acheter un griffoir et de rester un moment accroupie devant, à le gratter avec ses ongles, pour donner l'exemple à son chat.

Quand elle vit que son animal avait enfin pris ses repères, elle appela Jack Pomfret, qui lui donna rendez-vous au Savoy Grill pour déjeuner.

Carsely n'était plus qu'un petit point à l'horizon de son esprit. Elle était de retour à Londres : pas en visite, non, elle était de retour aux affaires, elle faisait à nouveau partie de la ville !

Jack Pomfret, le genre ancien d'Oxford à la svelte silhouette, luttait contre les assauts du temps au moyen d'un jean et d'extensions de cheveux. Il s'extasia sur l'allure d'Agatha. Elle lui demanda par curiosité la vraie raison pour laquelle il avait vendu son entreprise.

« Exactement comme toi, répondit-il avec un sourire gamin. J'ai pensé que la retraite me conviendrait. Enfin, "nous" conviendrait, à ma femme, Marcia, et à moi : on est partis s'installer en Espagne un moment, mais le climat ne nous réussissait pas. C'était dans le sud. Trop chaud. Mais parlons plutôt de toi, raconte-moi tout ce que tu as fait, depuis le temps ! »

Bien calée sur sa chaise, Agatha se vanta du rôle qu'elle avait joué dans une enquête criminelle, dont elle lui fit un récit fortement enjolivé.

« Mais la vie de village doit avoir un effet absolument débilitant sur toi, ma chère », dit Jack Pomfret, en la fixant droit dans les yeux avec un sourire qui lui rappela le vétérinaire. « Tous ces péquenauds et ces rabougris du cerveau !

— Je m'ennuie, oui, je l'avoue », concéda-t-elle, puis elle eut un accès de remords alors que les visages des femmes du village apparaissaient devant ses yeux. « Enfin, tout le monde est sympathique, très gentil. Ce n'est pas la faute des autres. C'est moi. Je ne suis tout bonnement pas habituée à la vie campagnarde. »

Ils bavardèrent jusqu'à l'arrivée du café, puis passèrent aux choses sérieuses. Jack avait repéré un local à louer à Marble Arch. Pour démarrer, ils pouvaient se contenter de trois pièces. Agatha examina les chiffres. Il semblait avoir tout étudié jusque dans les moindres détails.

« Ce loyer est très élevé, fit-elle remarquer. Il vaudrait mieux reprendre une fin de bail quelque part. Ensuite, avant de commencer à faire des projets, il faut être certains qu'on a assez de clients.

– Est-ce que les grosses boîtes dont je t'ai parlé, Électricité Jobson et Lessives Blanco, te convaincraient ?

– Bien sûr.

– Il se trouve que les P.-D.G. des deux entreprises sont à Londres pour une conférence d'affaires. Tu sais quoi ? Prépare à boire, quelques trucs à grignoter, et je les amène à ton appart. Je te rappelle dans la journée pour te dire à quelle heure.

– Il faut bien admettre que si tu as ce genre de contacts, en quelques semaines, on va se propulser dans le haut du tableau. »

Il ne manqua pas de lui téléphoner plus tard, les P.-D.G. débarquèrent chez elle le lendemain, et la rencontre fut des plus joviales, surtout pour elle, car les deux hommes lui firent du gringue.

Au moment où Jack, qui était resté pour un dernier verre après le départ des clients potentiels, se levait pour partir, il l'embrassa sur la joue et dit : « Je te donnerai une estimation du montant de ta participation, tu me feras un chèque et tu n'auras plus qu'à me laisser m'occuper de tous les détails pratiques. T'as un don avec les clients, Agatha, tu l'as toujours eu. Regarde ces deux-là, comme ils te mangeaient dans la main !

– Combien, ma participation ? » demanda-t-elle.

Il cita un chiffre qui la fit tiquer. Alors il se rassit et sortit des liasses de papiers remplis de données chiffrées. Elle se concentra. La somme qu'il avait citée épuiserait toutes ses économies. Elle aurait toujours son cottage à Carsely, mais il ne lui servirait plus à rien si elle se remettait aux affaires.

« Laisse-moi réfléchir jusqu'à demain. Et laisse-moi les papiers. »

Après son départ, elle regretta d'avoir bu autant. Elle fixa les suites de nombres. Ils avaient besoin de tout l'équipement de base : ordinateurs, faxes, bureaux et chaises. Une soirée de lancement. Papier, trombones, etc. « Je ne sais pas trop, fit-elle lentement. Qu'est-ce que tu en penses, Hodge ? Hodge ? »

Aucune trace du chat. Elle fouilla le petit appartement, chercha sous le lit, dans les placards et les armoires : pas de Hodge.

Il avait dû se glisser dehors quand les invités étaient sortis.

Elle jeta son manteau sur ses épaules et descendit par l'escalier, plutôt que par l'ascenseur, en appelant : « Hodge ! Hodge ! » Une femme ouvrit sa porte et demanda d'un ton glacial : « Ça vous dérangerait de faire moins de bruit ?

— Va te faire cuire un œuf ! » répondit Agatha, malade d'inquiétude. *Si tu étais à Carsely*, faisait une petite voix dans sa tête, *tout le village viendrait t'aider*. Elle ouvrit la porte donnant sur la rue. Dehors s'étendait Londres, anonyme et indifférente. Elle se traîna dans Kensington de place en place et de jardin en jardin, le bruit des voitures étouffant souvent celui de ses cris éperdus.

« À votre place, fit une voix de femme à ses côtés, j'attendrais qu'il y ait moins de circulation. Un chat, c'est ça ? Oui, les voitures leur font peur. »

Pourtant Agatha continua à avancer, péniblement, les pieds froids et douloureux. Elle demanda dans tous les magasins de Gloucester Road, mais elle n'était qu'une femme parmi d'autres cherchant son chat ou son chien : personne n'avait vu Hodge ni ne s'inquiétait d'ailleurs de sa disparition.

Elle continua à errer comme une âme en peine et se retrouva dans Cornwall Gardens. Un pianiste, très amateur, jouait une sonate de Chopin d'une main hésitante. Quelqu'un organisait une soirée, les invités se tenaient serrés comme des sardines dans une pièce donnant sur la rue.

C'est alors qu'elle aperçut un chat qui marchait lentement vers elle. Un chat tigré. Elle avança petit à petit, en priant tout bas. Hodge était un chat tigré gris et noir, il n'avait pas franchement de traits distinctifs.

« Hodge », fit-elle doucement.

L'animal s'arrêta et leva la tête vers elle.

« Ah ! c'est bien toi », s'exclama-t-elle avec bonheur, avant de le prendre prestement dans ses bras.

« Je suis content que quelqu'un ait recueilli ce pauvre chat perdu, dit un homme qui promenait son chien. Je m'apprêtais à téléphoner à la SPA. Ça fait environ deux semaines qu'il a élu domicile dans ce jardin. Et avec ce froid ! Enfin, les chats ont la peau dure.

– C'est *mon* chat ! » répliqua Agatha, puis, serrant l'animal dans ses bras aussi farouchement qu'une mère étreindrait son enfant blessé, elle regagna son appartement d'un air indigné.

Elle referma bien la porte derrière elle, posa le chat par terre et lui dit : « Du lait chaud, voilà ce qu'il te faut. »

Lorsqu'elle entra dans la minuscule cuisine, Hodge se leva sur la chaise où il était installé, s'étira et bâilla.

« Comment es-tu arrivé là ? » demanda-t-elle, abasourdie. Elle fit volte-face. Le chat qu'elle avait ramassé dans Cornwall Gardens pénétra dans la pièce en miaulant doucement. Dans la lumière crue du néon, elle s'aperçut que c'était une créature maigrichonne qui ne ressemblait pas du tout à Hodge.

« Deux chats ! » gémit-elle. Elle ne pouvait pas en garder deux ! Un seul lui donnait déjà assez de soucis. *Mais où donc Hodge avait-il disparu ?* se demanda-t-elle, car elle n'était pas encore suffisamment versée dans les us et coutumes des chats pour savoir qu'ils donnaient parfois l'impression d'être capables de se volatiliser. Elle envisagea de remettre le chat errant dans le jardin. Mais ce serait cruel. Elle pouvait aussi l'emmener à la SPA, mais ils allaient certainement le gazer, car qui voudrait d'un vulgaire chat tigré ?

Elle fit chauffer du lait, qu'elle versa dans deux

bols différents, avant de préparer deux écuelles de nourriture. Hodge semblait avoir placidement accepté le nouveau venu. Elle changea ensuite la litière en espérant que l'animal était propre.

Lorsqu'elle se coucha, les chats s'installèrent près d'elle, chacun d'un côté. C'était réconfortant. Que diraient les habitants de Carsely quand ils la verraient revenir avec deux chats ? Enfin, de toute façon, elle ne retournerait au village que le temps de faire ses valises.

Pourtant elle avait toujours Carsely bien présent à l'esprit quand elle se réveilla le lendemain matin. Elle décida de téléphoner à Bill Wong et de lui annoncer la nouvelle.

Au commissariat de Mircester, on lui expliqua que c'était son jour de congé, alors elle appela chez lui.

Il l'écouta attentivement exposer les grandes lignes de ses projets et raconter la visite des deux P.-D.G.

Il y eut un silence. Puis il lui dit, avec son léger accent du Gloucestershire : « C'est curieux.

– Quoi donc ?

– Eh bien, que *deux* P.-D.G. de grandes entreprises débarquent comme ça. Je ne connais pas grand-chose aux affaires…

– Non, en effet.

– Mais j'aurais cru qu'on aurait organisé une rencontre entre vous, qu'on vous aurait mis en contact avec leurs services de publicité, les cadres chargés des relations publiques, ce genre de choses.

– Oh ! mais il s'est trouvé qu'ils étaient justement à Londres pour une réunion d'affaires.

– Et que savez-vous réellement de ce Jack Pomfret ? Vous n'allez tout de même pas lui donner de l'argent comme ça, ni rien de ce genre ?

– Je ne suis pas aussi stupide ! » rétorqua-t-elle, avec irritation désormais, parce qu'elle commençait à en douter.

« Une bonne façon de se renseigner sur les gens, c'est de leur rendre visite chez eux. En général, on peut se faire une idée de l'état de leur porte-monnaie en voyant où ils habitent et à quoi ressemble leur femme.

– Alors vous pensez que je devrais l'espionner ? Vous qui me racontez à longueur de temps que je suis incapable de ne pas me mêler des affaires des autres ?

– Je pense que vous mettez votre nez partout quand ce n'est pas nécessaire, mais que vous êtes d'une naïveté touchante quand ça l'est.

– Écoutez, m'sieur l'agent, j'ai dirigé une entreprise florissante pendant des années.

– Peut-être que Carsely vous a fait oublier combien le monde peut être cruel.

– Quoi ? Après le meurtre de Cummings-Browne et le chaos que ça a causé dans le village ?

– Ce n'est pas pareil.

– Eh bien, j'en ai terminé avec Carsely. »

Un petit rire amusé lui parvint de l'autre bout de la ligne. « Ça, c'est ce que vous croyez. »

Agatha s'installa avec un café et une cigarette pour éplucher à nouveau les papiers laissés par Jack. Espérait-il vraiment qu'elle lui donne un chèque comme ça, sans être sûre qu'il verserait une contribution équivalente ? Hodge et le chat perdu, qui semblait s'être étonnamment bien remis, se pourchassaient d'un meuble à l'autre.

Elle ouvrit son attaché-case, trouva un porte-bloc et y attacha les documents. Puis elle appela Roy Silver, son ancien jeune assistant.

« Aggie chérie ! s'exclama-t-il d'une voix joviale. Je pensais justement venir te voir. Qu'est-ce que tu deviens ?

— J'ai besoin d'un service. Tu te rappelles Jack Pomfret ?

— Vaguement.

— Tu n'aurais pas son adresse, par hasard ?

— Eh bien, en fait, si, mon chou. J'ai piqué ton carnet d'adresses professionnel quand je suis parti. Ne râle pas ! Tu l'aurais sans doute complètement oublié. Voyons, voyons… Ah ! 121, Kynance Mews, Kensington. Tu veux son téléphone ?

— Non, ça, je l'ai, mais ça ne ressemble pas à un numéro de Kensington. Enfin, ce n'est pas grave. Je vais y aller à pied, c'est à deux pas.

— Combien de temps est-ce que tu restes à Londres ? Tu es à Londres, c'est ça ? Tu veux qu'on se voie ?

— Peut-être plus tard. Est-ce que tu t'es marié ?

— Non, pourquoi ?

– Et cette fille, tu sais, Machine-truc, que tu avais amenée chez moi ?

– Elle m'a quitté pour un voyou buveur de bière.

– Je suis désolée.

– Pas moi, répondit-il, acerbe. Je peux faire mieux.

– Écoute, je t'appellerai. J'ai d'abord une affaire à régler. »

Elle dit au revoir et raccrocha. Pourquoi Jack ne lui avait-il pas dit qu'il habitait juste à côté ?

Elle marcha jusqu'au bout de Kynance Mews, au numéro 121, et appuya sur la sonnette.

Une femme maigre, toute en tweed, ouvrit la porte ; le genre de femme qu'Agatha n'aimait pas, celles qui portent des perles de culture et des bottes en caoutchouc vertes en plein cœur de Londres.

« Mr. Pomfret ? demanda-t-elle.

– Mr. Pomfret n'habite plus ici, fit l'autre d'un ton acide. Je lui ai acheté la maison. Mais je ne suis pas sa secrétaire et je refuse de lui transférer d'autres lettres. Tout ce qu'il a à faire, c'est payer une petite somme à la poste pour qu'on lui fasse suivre son courrier.

– Si vous me donnez son adresse, je peux m'en charger.

– Très bien. Attendez ici, je vais vous noter ça. »

Agatha resta dans le froid glacial, debout sur les pavés couverts de givre de la ruelle. Un vol d'oies en provenance de l'étang des jardins de Kensington passa dans le ciel en direction du parc St. James. Le souffle d'Agatha formait un petit nuage de buée devant elle. Deux amoureux des chiens stationnés à l'entrée du passage détachèrent leurs bêtes, qui longèrent la ruelle en pissant devant toutes les portes puis s'accroupirent pour déféquer en chœur avant que leurs maîtres, satisfaits, les rappellent. *Il n'existe pas d'ami des bêtes plus égoïste que celui qui réside à Kensington*, se dit Agatha.

« Tenez, et voici son adresse », fit la femme en lui remettant un bout de papier ainsi qu'une liasse de lettres. Elle la remercia, rangea le courrier dans sa mallette, puis lut avec étonnement l'adresse de Jack Pomfret tandis que l'autre refermait la porte : 8A Ramillies Crescent, Archway. Il y avait certes quelques hôtels particuliers dans ce quartier en déclin, une poignée d'habitants aisés continuaient d'y habiter, mais le numéro, 8A, semblait plutôt indiquer un appartement en sous-sol.

Elle se dirigea vers la station Gloucester Road et, comme elle ne voulait pas faire trop de changements, prit la District Line jusqu'à Embankment, puis la Northern Line en direction d'Archway. Une fois installée dans son second métro, elle sortit les lettres. Il s'agissait surtout de prospectus, mais il y avait aussi un courrier du centre des impôts.

Son cœur se serra jusqu'à risquer l'implosion : les gens respectueux de la loi, les contribuables à l'abri des soucis financiers ne prévenaient-ils pas toujours le fisc de leurs changements d'adresse ?

Elle sortit un plan des rues de Londres et

chercha Ramillies Crescent, qu'elle situa dans un labyrinthe de rues derrière l'hôpital.

Au gros carrefour sur lequel donnait la sortie du métro Archway, les passants avaient l'air déprimés. Si on les avait tous largués dans les rues de Moscou, se dit-elle lugubrement, personne n'aurait remarqué qu'ils n'étaient pas moscovites. Elle monta péniblement la rue en pente raide puis tourna vers Ramillies Crescent à hauteur de l'hôpital.

Elle se retrouva dans une rue décrépite en arc de cercle, bordée de maisons victoriennes. De toute évidence, ici, personne n'avait rien perdu à cause de la récession, car pour cela, encore aurait-il fallu avoir quelque chose à perdre. Les jardins n'étaient pas entretenus, et d'ailleurs, la plupart d'entre eux avaient été bétonnés pour accueillir une voiture mangée par la rouille. Agatha atteignit le numéro 8. Comme elle s'y attendait, le 8A se situait bien au sous-sol. Après avoir contourné un landau déglingué qui avait l'air d'avoir été jeté là plutôt que laissé à moisir, elle appuya sur la sonnette. Marcia Pomfret, d'après ses vagues souvenirs, était une blonde sculpturale.

Au début elle ne la reconnut pas dans la personne qui lui ouvrit la porte : une fausse blonde aux cheveux noirs à la racine, au visage fané et ridé, qui la dévisagea comme une parfaite inconnue.

« Qu'est-ce que vous vendez ? » demanda Marcia d'une voix lasse et nasillarde.

Agatha prit le parti de mentir. « Rien, répondit-elle avec enjouement. On m'a communiqué votre nom parce que vous et votre mari avez vécu en Espagne, je crois. Je réalise une étude pour le compte du gouvernement espagnol, qui aimerait comprendre pourquoi un certain nombre de familles anglaises parties en Espagne ne s'y installent pas et préfèrent rentrer en Grande-Bretagne. »

Elle sortit de sa mallette le porte-bloc avec les papiers de Jack et resta debout à attendre.

« Vous feriez aussi bien de rentrer. Y a jamais personne pour m'écouter ici, ça, c'est rien de le dire. »

Elle la précéda dans un séjour sombre où Agatha, à qui rien n'échappait, reconnut ce qu'elle appelait des meubles « de garni » et s'assit sur un canapé usé devant une table basse en verre et chrome.

« Bien, fit-elle jovialement, qu'est-ce qui vous a amenés en Espagne ?

– C'est mon mari, Jack. Il avait toujours rêvé de tenir un bar. Il croyait qu'il pouvait le faire. Alors il a vendu sa boîte, la maison, et puis on a acheté un petit bar sur la Costa del Sol. Il a appelé ça : Un p'tit coin d'Angleterre. Il l'a arrangé comme un pub. Bière San Miguel et pudding au steak et aux rognons. On avait un petit appart au-dessus. De l'exploitation, voilà ce que c'était. Pendant que Môssieur baratinait les poules au bar, qui c'est qui faisait la cuisine ? Moi, pardi, à mitonner des plats british alors qu'il faisait déjà chaud comme dans un four dehors.

– Et ça a marché ? demanda Agatha, qui feignait de prendre des notes.

– Nan ! On n'était qu'un pub anglais de plus.

Et impossible de se faire aider. Les Espagnols, ils travaillent que pour des bons salaires. J'ai failli crever de chaleur, pour de vrai. "Ça va bientôt s'arranger, il disait, Jack. Va donc à la plage et fais travailler les autres à notre place." Mais le bar a jamais vraiment décollé. Une fois que la saison touristique a été passée, ça a été fini. J'ai dit à Jack qu'il aurait mieux valu faire un bar typiquement espagnol, histoire d'attirer les gens du coin et les touristes huppés qui font pas tout ce chemin pour manger des cochonneries anglaises, mais vous croyez qu'il m'écoutait ? Alors on a vendu et on est revenus ici, où on n'avait plus rien. »

Agatha joua encore la comédie en posant quelques questions sur l'Espagne et les Espagnols, puis elle rangea son porte-bloc et se leva pour partir. « J'espère que vous allez bientôt retomber sur vos pieds. »

Quand Marcia haussa les épaules d'un air las, Agatha la revit brusquement telle qu'elle l'avait vue dix ans plus tôt dans une soirée, blonde et magnifique. La dernière bimbo en date de Jack, murmurait-on. Mais celle-là, il l'avait épousée.

« Vous avez des enfants ? » demanda-t-elle.

Marcia fit non de la tête. « C'est aussi bien, dit-elle tristement. Je ne voudrais pas les élever ici. »

Oh oui ! c'est aussi bien, pensa Agatha, malheureuse, en remontant la rue d'un pas lent. *Parce que quand il découvrira que je ne me suis pas laissé embobiner, il cherchera une nouvelle femme à épouser, et une femme qui a de l'argent, cette fois.*

En se rappelant son courrier, elle s'arrêta devant une boîte aux lettres, changea l'adresse sur l'ensemble des enveloppes et les posta.

Jack Pomfret se tenait sur l'escalator qui montait de la station Archway lorsqu'il aperçut la silhouette trapue d'Agatha sur celui qui descendait ; alors il ouvrit son exemplaire de *The Independent* et se cacha derrière. Une fois dans la rue, il courut d'une traite jusque chez lui.

« Est-ce que Raisin est venue ici ? demanda-t-il.

– Raisin, quel Raisin ? répondit Marcia. Une femme envoyée par le gouvernement espagnol est venue poser des questions sur les Britanniques qui avaient quitté l'Espagne, c'est tout.

– À quoi ressemblait-elle ?

– Des cheveux châtains raides, des petits yeux marron, un peu bronzée.

– Pauvre conne, c'était Agatha Raisin ! Elle a dû flairer un truc ! Qu'est-ce que tu lui as dit ?

– Qu'on n'avait pas réussi à faire marcher notre bar. Comment est-ce que j'étais censée savoir... ? »

Jack se mit à arpenter la pièce. Quand il pensait à l'argent qu'il avait dépensé pour inviter cette vieille peau de vache à déjeuner au Savoy ! À l'argent qu'il avait donné à ses deux potes comédiens pour jouer les hommes d'affaires ! Enfin, peut-être que tout n'était pas perdu.

Agatha fit ses bagages et quitta son appartement de location, sacrifiant la somme qu'elle avait payée d'avance, pour s'installer dans un autre logement à Knightsbridge, derrière le magasin Harrods. Elle irait assister à quelques spectacles et manger dans quelques bons restaurants avant de retourner dans cette tombe qu'était Carsely.

Elle savait que Jack se mettrait à sa recherche, et la perspective d'un face-à-face avec lui ne l'enchantait pas, car, comme tous les gens qui ont été bernés, elle avait honte de sa propre crédulité.

Aussi lorsque Jack Pomfret, transpirant légèrement malgré le froid, se présenta à son ancien appartement, il n'y trouva personne. Les propriétaires ne sachant pas qu'elle était partie, puisqu'elle n'avait pas rendu ses clés, ils supposèrent qu'elle s'était seulement absentée, si bien qu'il passa et repassa désespérément les jours suivants, avant de devoir se résigner à l'idée qu'il y avait peu d'espoir de soutirer un jour de l'argent à Agatha Raisin.

De son côté, entre deux spectacles et deux repas au restaurant, Agatha emmena le nouveau chat à la clinique vétérinaire de Victoria, apprit qu'il s'agissait d'une femelle, la fit vacciner, la baptisa Boswell, en dépit de son sexe, dans l'idée de poursuivre le jeu des références littéraires – Boswell ayant écrit une *Vie de Samuel Johnson* – et décréta que deux chats seraient aussi faciles à entretenir qu'un seul.

Un soir, alors qu'elle traversait Leicester Square pour rentrer chez elle après le théâtre, elle se félicitait justement de la facilité avec laquelle elle se réhabituait à la vie citadine quand un jeune essaya de lui arracher son sac à main. Se cramponnant de toutes ses forces, elle finit par réussir à décocher un formidable coup de pied dans les tibias de son agresseur. Le jeune s'enfuit à toutes jambes. Les passants la dévisagèrent avec curiosité, mais personne ne lui demanda si ça allait. Quand on habitait en ville, se dit-elle, on apprenait à flairer les dangers de la rue, on développait une sorte d'instinct pour les détecter. Mais à Carsely l'Endormie, où elle ne prenait souvent même pas la peine de verrouiller les portières de sa voiture, le soir, elle avait perdu cet instinct. Elle poursuivit son chemin avec détermination, à longues enjambées pleines d'assurance proclamant : « Ne m'agressez pas, je suis prête à en découdre. » Le pas de ceux qui savent flairer le danger.

Au bout d'une semaine, elle reprit la direction des Cotswolds, avec deux paniers à chat au lieu d'un.

Pour la première fois, elle éprouva la curieuse sensation qu'elle rentrait chez elle. C'était une journée ensoleillée, avec un léger soupçon de chaleur dans l'air. Les perce-neige palpitaient timidement aux portes des cottages.

Une fois de plus, elle pensa au vétérinaire, Paul Bladen. Maintenant qu'elle avait un nouveau chat, elle avait une bonne excuse pour faire examiner l'animal. D'un autre côté, s'il fallait croire Bill Wong, Paul Bladen n'aimait pas les chats. Elle décida d'aller le consulter pour demander une pommade ophtalmique.

Elle n'avait cru Bill qu'à moitié, toutefois, et fut donc étonnée de trouver la salle d'attente déserte. Miss Mabbs leva un œil apathique d'un magazine déchiré et lui annonça que Mr. Bladen était aux écuries de lord Pendlebury, mais qu'il ne tarderait pas à rentrer. Agatha attendit, attendit, attendit encore.

Une heure plus tard, Paul Bladen arriva, la salua sèchement d'un signe de tête et disparut dans son cabinet. Elle avait bien envie de filer.

Mais au bout de quelques instants seulement, l'assistante lui demanda d'entrer.

Après l'avoir attentivement écoutée décrire la conjonctivite de son chat, le vétérinaire rédigea une ordonnance à la hâte, précisant qu'il n'avait plus la pommade en question mais qu'elle pouvait se la procurer à la pharmacie de Moreton-in-Marsh. Après quoi il attendit manifestement qu'elle parte.

« Vous ne trouvez pas que vous me devez une explication ? lui lança-t-elle. J'ai essayé de me rendre à Evesham l'autre jour, au restaurant, mais il neigeait tellement que j'ai eu un accident. Et quand j'ai appelé chez vous, une femme a décroché et dit qu'elle était votre épouse. Vous auriez pu avoir la politesse de m'appeler, moi ! »

Paul Bladen retrouva brusquement ses manières charmeuses. « Mrs. Raisin, je suis navré. Il faisait un temps tellement affreux que j'étais certain que vous ne tenteriez même pas de venir. La femme que vous avez eue au téléphone était ma sœur, qui faisait l'idiote. Pardonnez-moi, s'il vous plaît.

Écoutez, si on remettait ça ce soir ? Il y a un nouveau restaurant grec à Mircester, juste à côté de l'abbaye. On pourrait s'y retrouver à huit heures. »

Cette fois, quand il lui sourit, les yeux dans les yeux, elle se rappela amèrement Jack Pomfret. Indécise, elle regarda par la fenêtre du cabinet. C'est alors qu'elle aperçut James Lacey, semblable à lui-même. C'était un homme très grand, bien bâti, au beau visage hâlé et aux yeux bleu vif. Son épaisse chevelure noire commençait à peine à grisonner au niveau des tempes. Il marchait d'un pas nonchalant, avec cette aisance et cette ampleur de mouvements caractéristiques : James Lacey, l'insouciance même.

« Très volontiers, répondit-elle à Paul Bladen. À ce soir. »

Elle rentra chez elle au moment où le téléphone sonnait. Elle décrocha. La voix de Jack Pomfret retentit à l'autre bout de la ligne. « Agatha, Agatha, je peux t'expliquer... »

Elle raccrocha brutalement. Le téléphone se remit aussitôt à sonner. Elle saisit le combiné d'un geste rageur.

« Va te faire foutre, O.K. ? Espèce d'escroc minable ! Si tu crois que...

– Mrs. Raisin, c'est moi, Bill.

– Oh ! je vous ai dit de m'appeler Agatha.

– Désolé. Agatha. Alors, les affaires n'en étaient pas, finalement ?

– Non, répondit-elle sèchement.

« – Dommage. Que diriez-vous de dîner avec moi ce soir ?

– Comment ?

– Vous, moi, dîner. »

Bill Wong n'ayant même pas trente ans, toute invitation à dîner de sa part ne pouvait être motivée que par un simple sentiment d'amitié. Elle n'en fut pas moins flattée et fut presque tentée de laisser tomber le vétérinaire. Mais l'âge de Paul Bladen était plus proche du sien.

« J'ai déjà un rendez-vous, Bill. La semaine prochaine ?

– D'accord. Je vous reverrai sans doute d'ici là. Avec qui est-ce que vous avez rendez-vous ? James Lacey ?

– Non, le vétérinaire.

– Vous tombez de Charybde en Scylla !

– Quoi, qu'est-ce que ça veut dire, ça, hein ? Vous pensez qu'il en a après mon *argent* ? Eh bien, je vais vous dire une chose, Bill Wong : il y a beaucoup d'hommes qui me trouvent séduisante.

– Mais oui, mais oui ! J'ai parlé sans réfléchir. À bientôt. C'était juste une blague. Il est probablement plein aux as. »

3

Agatha essaya une robe après l'autre, renonça à l'idée d'en porter, opta pour une vieille jupe et un vieux chemisier, s'apprêta à partir, puis rentra chez elle à toute vitesse pour enfiler sa combinaison, sa robe Jean Muir et son collier de perles, avant d'appliquer sur ses paupières une paire de faux cils achetés à Londres.

James Lacey vit s'éloigner sa voiture. Il remarqua qu'elle ne ralentissait plus devant chez lui en regardant avidement par la vitre.

Elle prit la Fosse Way jusqu'à Mircester, vieille ville aux rues pavées dominée par une grande abbaye médiévale, et trouva le restaurant sans difficulté. Derrière ses rideaux tirés, il ressemblait davantage à un magasin miteux qu'à un restaurant, mais elle était certaine qu'à l'intérieur tout ne serait que chaleur et raffinement.

Elle eut tout de même un petit choc en franchissant la porte du Stavros. Le sol était couvert de linoléum craquelé, et les tables, de nappes à carreaux en plastique. Quelques agrandissements de photos plutôt minables de la Grèce (l'Acropole, Delphes, et *tutti quanti*) accrochés aux murs sautaient désagréablement aux yeux.

Paul Bladen se leva pour l'accueillir. Il portait un vieux costume de tweed et une chemise à carreaux sans cravate.

« Vous êtes très chic, dit-il en guise de salutation.

– Je ne me doutais pas que le restaurant serait aussi... pittoresque, répondit-elle en s'asseyant.

– La nourriture compense la médiocrité du décor. »

Il lui servit un verre de retsina en carafe ; elle en but une lampée et pesta intérieurement contre ce vin qui se buvait comme du petit-lait, tout en espérant qu'il contenait assez d'alcool pour lui donner du courage.

Une serveuse maigrichonne, au visage d'un blanc cadavérique sous son maquillage de zombie, rappliqua à leur table munie d'un carnet.

« Qu'est-ce que ça sera ? » demanda-t-elle, laconique.

Agatha qui, normalement, lui aurait rétorqué d'aller se faire voir et de lui laisser le temps de choisir, décida ce soir-là de jouer le rôle de la femme soumise, battit de ses faux cils et dit à Paul : « Choisissez pour moi. »

Il commanda de soi-disant feuilles de vigne farcies. Après avoir donné quelques coups de fourchette dans son plat, qu'on lui avait apporté avec une rapidité déprimante, Agatha décréta que les feuilles de vigne étaient en fait du chou, et la farce, du riz gorgé d'eau. Elle découvrit qu'en perçant astucieusement les petits paquets et en répandant la farce sur son assiette, elle pouvait faire croire qu'elle en avait au moins mangé une partie.

Paul Bladen passa le repas à lui expliquer comment il espérait offrir aux habitants de Carsely l'accès à de bons services vétérinaires, et commanda une deuxième grande carafe de retsina, tandis qu'Agatha, de son côté, compensait par la boisson la médiocrité de la nourriture.

« Maintenant, fit-il enfin en lui souriant, les yeux dans les yeux, parlez-moi de vous. Comment se fait-il qu'une dame aussi sophistiquée que vous ait échoué dans un village des Cotswolds ? »

Une Agatha sobre se serait souvenue que les Cotswolds, région très à la mode, regorgeaient de gens intéressants, mais l'Agatha éméchée de ce soir, flattée, raconta comment elle avait toujours rêvé d'avoir un cottage à la campagne, comment elle avait bâti à partir de rien une entreprise prospère, puis l'avait revendue pour prendre une retraite précoce.

« *Très* précoce, insista-t-elle.

– Vous n'avez pas parlé de votre mari, répondit l'autre en lui prenant la main.

– Ça fait des années et des années que je l'ai quitté, dit-elle avec un haussement d'épaules. Je suppose qu'il est mort. » Elle ne s'était jamais donné la peine de demander le divorce. La main de Paul était chaude, sèche et ferme. Elle se sentait toute palpitante et haletante, un peu comme s'il s'agissait de son premier rendez-vous amoureux. « Mais il n'y a que moi qui parle ! Et vous, alors ?

– Oh ! moi, je travaille à la réalisation d'un rêve. »

Il lâcha sa main lorsque la serveuse vint poser devant eux deux pâtisseries collantes du Levant suintant le miel aqueux, ainsi que deux tasses d'une boue noire qui essayait de se faire passer pour du « café grec ».

« J'ai le projet de créer une clinique vétérinaire qui sera vraiment de qualité, poursuivit-il, mais pour ça, il faut de l'argent.

– Vous devriez demander à la Société des dames de Carsely. Elles sont incroyablement douées pour collecter des fonds.

– Contrairement à vous, je les crois beaucoup trop provinciales pour être capables de saisir un concept aussi ambitieux.

– Je ne dirais pas ça. » Agatha pensa à Mrs. Bloxby. « Ce sont des travailleuses acharnées… J'ai une idée. Je vais moi-même vous faire un don pour lancer votre souscription. »

Vingt livres, se dit-elle généreusement. *Après tout, c'est lui qui paie l'addition de cet horrible repas.*

Il reprit sa main.

« Le café n'a pas l'air de vous plaire.

– Je préfère le café filtre.

– Alors, allons en boire un chez moi. »

Il lui caressa la paume de la main avec le pouce.

Eh bien, voilà, pensa-t-elle ensuite, tandis qu'elle suivait sa voiture dans les sombres ruelles sinueuses de la vieille ville. *Voilà pourquoi je me suis mise sur mon trente-et-un.*

Mais l'euphorie occasionnée par tout le vin qu'elle avait bu était en train de se dissiper.

Paul s'arrêta devant une petite villa victorienne en bordure de la ville. Au moment où elle entrait derrière lui dans le hall sombre et sinistre, il se tourna vers elle et lui adressa un sourire plein de promesses. Elle fut saisie d'une panique soudaine. Le sexe ! C'était là, imminent, et toutes ses peurs rappliquaient. Elle ne s'était pas rasée sous les bras. Et que se passerait-il si elle n'était pas assez… disons… souple ? Il faisait froid dans cette maison. Un de ses faux cils commençait à se décoller. Elle le sentait. Et si elle était obligée de se déshabiller devant lui ? Il la verrait essayer de s'extirper de sa combinaison…

« Il faut que je parte, lâcha-t-elle. J'ai oublié de laisser de l'eau à mes chats.

– Agatha, Agatha, ce n'est pas grave. Venez ici.

– Et puis, j'attends un coup de fil important de New York et… Enfin, merci pour le dîner. La prochaine fois, c'est moi qui invite. Franchement, il faut que je file. »

Elle remonta à toutes jambes l'allée du jardin, trébuchant sur ses hauts talons.

Elle déverrouilla les portières de sa voiture, s'engouffra derrière le volant et s'éloigna, ne sentant la panique refluer qu'une fois qu'elle fut sortie sans encombre de la ville et qu'elle eut rejoint la route de Carsely. Sur la Fosse Way, une voiture de police surgit dans son rétroviseur. Elle se rappela tout ce qu'elle avait bu et pria pour qu'on ne la fasse pas souffler dans un alcootest. Elle ralentit à cinquante kilomètres-heure, la voiture de police déboîta, puis la doubla.

Elle était stupéfaite par sa réaction face au séduisant vétérinaire. Cela faisait très longtemps qu'elle n'avait pas eu d'amant. Ce qu'elle avait été bête ! À aucun moment, elle ne s'autorisa à reconnaître clairement que l'idée de faire l'amour sans amour lui était devenue répugnante. C'était une attitude trop vieillotte, or Agatha Raisin était une femme résolument moderne.

Le lendemain, Paul Bladen retourna aux écuries de courses de lord Pendlebury. Il devait procéder à une opération du cornage pour empêcher un cheval de siffler à l'effort. Ce qui impliquait de lui couper les cordes vocales. Il commença donc par remplir une seringue d'étorphine, un anesthésiant. À côté de lui, sur une petite table qu'il avait apportée exprès, il posa un flacon en verre de diprénorphine, qu'il administrerait à l'animal après l'opération afin de le ranimer, ainsi qu'un autre de naloxone, un puissant antidote à l'étorphine, au cas où il s'injecterait lui-même du produit par accident.

« Allez, tout doux, mon beau », dit-il en flattant le chanfrein du cheval qui piaffait et poussait des hennissements. Il était irrité que lord Pendlebury n'ait même pas pris la peine de lui envoyer un garçon d'écurie pour l'aider. Le soleil se déversait par la porte ouverte du bâtiment, projetant un immense rectangle d'or sur les pavés à ses pieds. Il leva la seringue pour la planter dans la veine jugulaire de l'animal. Le rectangle d'or à ses pieds s'obscurcit, comme si un nuage était passé devant le soleil. Puis quelque chose s'abattit sauvagement sur l'arrière de son crâne, et il s'étala de tout son long.

Le souffle coupé, mais toujours conscient, il se retourna en se contorsionnant sur les pavés. « Mais bordel, qu'est-ce que... ? » commença-t-il.

Une main lui arracha la seringue et, l'instant d'après, on la lui enfonçait dans la poitrine. Il essaya désespérément d'atteindre la petite table où se trouvait l'antidote. Même la diprénorphine, destinée à ranimer le cheval après l'opération, ferait l'affaire s'il n'arrivait pas à attraper la naloxone. Mais la table fut renversée d'un coup de pied, et il mourut quelques secondes plus tard.

Agatha apprit sa mort le lendemain de la bouche de Bill Wong, et sa première réaction fut un soulagement égoïste : le vétérinaire ne risquait plus de raconter à qui voulait l'entendre comment elle s'était enfuie de chez lui.

Elle et Bill se tenaient dans la cuisine, où un bon feu de bois flambait dans le fourneau AGA qui avait remplacé la cuisinière électrique et dont elle avait laissé la porte ouverte. Il y avait un bouquet de jonquilles précoces des îles anglo-normandes dans une carafe posée sur l'appui de fenêtre. La table en plastique carrée avait disparu au profit d'une solide table en bois cérusé.

« Un tragique accident, dit Bill Wong. Certains vétos refusent d'utiliser l'étorphine. C'est mortel. Il n'y a pas longtemps, un vétérinaire avait mis une seringue pleine de ce produit dans sa poche de poitrine, et il s'est approché du cheval. L'animal l'a bousculé, la seringue a piqué le gars, et ça a suffi. Il est mort quasi instantanément.

– On pourrait penser qu'ils ont un antidote, tout de même, remarqua Agatha.

– Oh, ils en ont un, mais ils n'ont souvent pas le temps de l'attraper. Dans le cas de Paul Bladen, le flacon était posé sur une petite table, mais elle était renversée : il a peut-être donné un coup de pied dedans pendant qu'il agonisait, ou alors c'est le cheval.

– Vous voulez dire que c'est comme avec le cyanure ? On a des convulsions ?

– À bien y penser, non. C'est un bon moyen de se suicider : rapide et indolore. Il y a tout de même quelque chose d'étrange.

– Ah oui ? »

Les yeux d'Agatha étincelèrent.

« Pas étrange à ce point. Pas de meurtre, ici. Non, il avait une bosse à l'arrière du crâne, alors bien sûr on a supposé qu'il se l'était faite en tombant sur la tête, mais on l'a retrouvé allongé sur le côté. Il y avait ses empreintes sur le bord de la petite table, comme s'il avait tenté d'attraper l'antidote.

– Et il était tout seul ?

– Oui. Ce qui s'explique, si je lis bien entre les lignes de la déposition de lord Pendlebury, par le fait qu'il a demandé de l'aide d'un ton un peu trop péremptoire. Lord Pendlebury lui a rétorqué que son personnel d'écurie avait du pain sur la planche, et il s'est arrangé pour que ce soit le cas. L'intervention était destinée à empêcher le cheval de siffler. Il arrive souvent que les chevaux émettent un sifflement pendant les courses.

– Ça a l'air barbare.

– Tout ce qui a un rapport avec les bêtes est barbare. »

James Lacey se tenait, hésitant, sur le pas de la porte d'Agatha. Elle lui avait préparé une tourte, voilà deux mois, et il savait qu'il aurait déjà dû lui rapporter le moule. Il avait toujours remis à plus tard. Mais le fait qu'elle avait apparemment renoncé à lui courir après lui avait donné du courage. Il appuya sur la sonnette en se disant qu'avec un peu de chance, elle serait quelque part dans le village et qu'il pourrait en toute sécurité déposer le plat sur le seuil.

Mais elle vint lui ouvrir. « Entrez donc boire un café, dit-elle en prenant le moule. Nous sommes à la cuisine. »

Ce « nous » encouragea James Lacey à entrer. Il écrivait un livre d'histoire militaire et, comme la plupart des écrivains, il passait ses journées à chercher des excuses pour ne pas travailler.

Il connaissait Bill Wong, qu'il salua d'un signe de tête avant de s'installer devant une tasse de café, soulagé qu'Agatha ne le fixe pas avec la même avidité que d'habitude.

« Nous parlions de la mort de Paul Bladen », expliqua-t-elle, avant de lui relater les événements.

Colonel à la retraite, James Lacey méprisait ce qu'il appelait les « commérages de bonnes femmes », et il aurait été stupéfait si on lui avait fait remarquer qu'il était lui aussi, comme tous les êtres humains, une commère.

« Ça ne me surprend pas, répondit-il jovialement, qu'un homme aussi unanimement détesté se soit fait zigouiller.

– Mais il ne s'est pas fait zigouiller ! » protesta Agatha.

Les personnes qui prétendent ne pas colporter de ragots sont en général les colporteurs de la pire espèce, et James Lacey renchérit : « Comment est-ce que vous pouvez en être sûre ? Vous avez entendu ce qui est arrivé à cette pauvre Mrs. Josephs, pour commencer ? Vous savez à quel point elle était attachée à Tewks, son bon vieux matou ? Eh bien, elle n'arrêtait pas d'aller consulter Bladen sous un prétexte ou un autre. Un jour, il lui a demandé de lui laisser l'animal pour un bilan complet. Quand elle est venue récupérer son chat adoré, Bladen l'avait euthanasié. Il a déclaré qu'il était trop vieux et qu'il fallait mettre un terme à ses souffrances. Mrs. Josephs a été bouleversée.

« Ensuite, il y a eu Miss Simms. Elle non plus n'arrêtait pas d'aller le voir pour un oui ou pour un non. La dernière fois qu'elle a consulté, elle a affirmé, et je la crois, que son chat était réellement malade. Il n'en finissait plus de se gratter. Bladen lui a déclaré froidement qu'il avait des puces, de ne plus lui faire perdre son temps et de faire son ménage plus soigneusement. Elle a amené son chat chez son ancien vétérinaire, qui a diagnostiqué une allergie. Alors elle est retournée trouver Bladen et elle l'a incendié, quelque chose de bien ! On l'entendait dans tout le village. Mais il faut dire que Bladen avait confié à Jimmy Page, le fermier, qu'il en avait assez de toutes ces bonnes femmes et de leurs bestioles assommantes. Seuls les animaux de ferme l'intéressaient.

– Tout ça a dû arriver pendant que j'étais à Londres, dit Agatha. C'est vrai, au début, elles étaient toujours toutes fourrées dans son cabinet.

– Elles étaient toutes amoureuses de lui,

expliqua James. Ensuite, je ne sais pas pourquoi, il est devenu méchant avec certaines. Mais il en reste quelques-unes pour qui c'est le meilleur vétérinaire du monde... ou plutôt, c'était.

– Qui ça ? demanda Bill.

– Mrs. Huntingdon, la jolie nouvelle du village, propriétaire d'un jack russell ; Mrs. Mason, la présidente de la Société des dames de Carsely ; Mrs. Harriet Parr, qui habite en bas du village ; et Miss Josephine Webster, qui tient la boutique où il n'y a que des fleurs séchées à vendre, j'ai l'impression.

– Comment est-ce que vous savez tout ça ? » s'exclama Agatha, avant de virer au rouge, car elle comprit à cet instant que les femmes du village couraient après son voisin tout comme elles avaient couru après Paul Bladen.

« Oh ! les gens se confient à moi, répondit-il d'un air vague.

– Vous, vous avez dîné avec Bladen, intervint Bill Wong en regardant Agatha. La veille de sa mort, même, puisque je vous ai invitée, et vous m'avez répondu que vous ne pouviez pas parce que vous sortiez avec lui.

– Et alors ? » demanda-t-elle.

James Lacey l'examina avec curiosité. Elle était plutôt séduisante, sans doute, dans le genre femme pugnace. Oui, maintenant qu'elle ne lui faisait plus du plat à tout bout de champ, il voyait qu'elle avait certains atouts. Une silhouette ferme quoique trapue, de très belles jambes, des yeux marron plutôt petits et intelligents. Quant à ses cheveux châtains, vigoureux et brillants, ils étaient raides, mais sans aucun doute coupés par la main experte d'un coiffeur hors de prix.

« Alors, ça m'intéresse, répondit Bill. Où êtes-vous allés dîner ?

– Au nouveau restau grec de Mircester.

– Un horrible trou à rats, intervint James. Moi aussi, j'ai emmené quelqu'un dîner là-bas. On ne m'y reprendra plus. »

Agatha se demanda immédiatement qui était ce « quelqu'un », mais se contenta de poursuivre : « Je n'ai pas appris grand-chose à propos de Bladen. Ah, si, il a dit que son rêve, c'était d'ouvrir une clinique vétérinaire.

– Ha, ha ! s'exclama Bill d'un ton narquois. Il a essayé de vous soutirer de l'argent, c'est ça ?

– ABSOLUMENT PAS ! » hurla Agatha, avant d'ajouter, plus bas : « Ça va peut-être vous surprendre, mais j'avais un ticket avec lui.

– Je suis heureux de l'apprendre. C'est vrai, quoi, vous avez assez souffert avec ce type qui a voulu vous escroquer, à Londres.

– Encore du café ? demanda-t-elle en le fusillant du regard.

– Oui, s'il vous plaît, répondit James Lacey.

– Pas pour moi, fit le policier. Faut que je retourne bosser. »

Sur quoi il sortit de la cuisine, trop vite pour que James puisse se raviser.

Bien résolue à rester aussi distante et calme que possible, Agatha resservit du café à son voisin avant d'aller s'asseoir à l'autre bout de la table. Histoire de faire la conversation, plus que par intérêt, elle demanda : « Alors vous pensez que quelqu'un a peut-être assassiné Paul Bladen ?

— Ça m'a en effet traversé l'esprit. C'est vrai, ça aurait été tellement facile. Se glisser derrière lui alors qu'il avait une seringue pleine de produit à la main, l'assommer... Non, ça ne marche pas. Il n'a pas été assommé.

— Peut-être que si ! Il avait une bosse à l'arrière du crâne. La police a conclu qu'il avait dû se la faire en tombant par terre, mais il était étendu sur le côté.

— Je suppose qu'elle connaît son boulot. Réfléchissez : si une autre personne avait rôdé du côté des écuries de courses de lord Pendlebury, on l'aurait forcément vue. C'est la campagne, ici. On ne peut pas entrer n'importe où en douce, comme en ville.

— Je me le demande. J'aimerais bien voir ces écuries. Vous connaissez lord Pendlebury ?

— Non. Mais il vous suffit d'aller chez lui et de lui demander de faire un don à une des organisations caritatives pour lesquelles vous passez votre temps à collecter des fonds. Et ensuite, quand vous repartez, vous n'avez qu'à jeter un coup d'œil aux écuries au passage.

— J'aimerais que vous m'accompagniez. »

James lança un regard nerveux à Agatha, mais elle n'avait pas du tout, du tout parlé sur le ton du flirt.

Il pensa au travail qui l'attendait, il pensa aux joies de l'écriture puis se surprit à répondre : « Je n'y vois pas d'objection. On pourrait y aller cet après-midi, disons, vers deux heures.

– C'est très aimable à vous », répondit calmement Agatha.

Elle le raccompagna et, une fois qu'il fut dehors, se livra à une danse de guerre dans l'espace exigu de l'entrée. L'impossible était sur le point de se produire : elle allait passer l'après-midi avec James Lacey !

À deux heures de l'après-midi, lasse de faire des essayages, Agatha s'était décidée pour un pull rouge cerise, une jupe en tweed bien coupée, des richelieus et un manteau en peau de mouton.

Elle se posta à la fenêtre de la salle à manger, située à l'avant du cottage, afin de pouvoir regarder son voisin lorsqu'il arriverait. Le voilà d'ailleurs qui approchait, de son pas ample caractéristique. Même s'il avait déjà la cinquantaine, c'était un bel homme de plus d'un mètre quatre-vingts, aux cheveux bouclés noirs mêlés seulement d'un soupçon de gris, au regard espiègle, au nez assez imposant. Il portait un vieux pull de chasse mangé aux mites, avec des empiècements en daim usés aux épaules, par-dessus une chemise à carreaux et un pantalon de velours vert olive. Agatha se reput du spectacle pour compenser le fait qu'elle avait l'intention de rester calme et détachée quand elle se retrouverait face à lui pour de bon.

Le domaine de lord Pendlebury, Eastwold Park, s'étendait tout au bout d'une longue allée partant de la route du village. Agatha exultait. Les seules fois où elle avait franchi le seuil d'une demeure aussi somptueuse, c'était en tant que touriste. Elle se demanda si elle devait faire la révérence – non, ça, c'était pour les membres de la famille royale. Oh ! et devait-elle l'appeler par son titre ? Mieux valait observer comment procédait James Lacey et l'imiter.

Ils remontèrent l'allée et se garèrent devant un de ces manoirs typiques des Cotswolds, beaucoup plus grands qu'ils n'en ont l'air. La porte fut ouverte non par un majordome, mais par une habitante du village, Mrs. Arthur, qui, vêtue d'un tablier, repoussait de fines mèches de cheveux gris de ses yeux. Mrs. Arthur avait beau faire partie de la Société des dames de Carsely, Agatha ignorait qu'elle travaillait au domaine.

« Je voulais demander à lord Pendlebury s'il accepterait de participer à notre collecte de fonds pour Save The Children, annonça Agatha.

– Vous pouvez toujours *demander*, répondit Mrs. Arthur. Il n'y a pas de mal à *demander*, c'est ce que je dis toujours. »

Elle resta plantée sur le pas de la porte.

« Et si, dans ce cas, vous demandiez à lord Pendlebury si nous pouvons le rencontrer ? demanda James Lacey.

– Très bien, vous l'aurez voulu. Il est dans le bureau, par là », fit Mrs. Arthur en pointant le pouce vers l'extrémité du hall.

Tout ça était très décevant, songea Agatha tandis qu'elle suivait James Lacey dans le vestibule. Il aurait dû y avoir un majordome, muni d'un plateau en argent pour prendre leur carte de visite. Mais James lui tenait déjà la porte du bureau.

Installé dans un fauteuil en cuir délabré devant un feu de cheminée mourant, lord Pendlebury dormait à poings fermés.

« Eh bien, tant pis », chuchota Agatha.

James traversa la pièce pour gagner la fenêtre.

« Le bâtiment des écuries se trouve à l'arrière, dit-il sans prendre la précaution de baisser la voix. On le voit d'ici.

– Chut ! » ordonna Agatha.

La pièce était tellement silencieuse et sombre, avec ses rayonnages de livres (dont deux murs entiers d'ouvrages reliés en veau), avec son grand bureau, ses bouquets de fleurs de printemps sur des guéridons posés ici et là, et ses pendules, dont le tic-tac solennel ne faisait qu'accentuer le silence !

« Qui êtes-vous ? »

Lord Pendlebury s'était réveillé et la regardait droit dans les yeux.

Agatha fit un bond et répondit : « Je suis Agatha

Raisin, de Carsely. Ce monsieur est James Lacey. »
Elle mourait d'envie de l'appeler « colonel »,
mais elle était certaine qu'il protesterait. « Je ras-
semble des fonds au nom de la Société des dames
de Carsely, au profit de l'organisation Save The
Children. »

Tel un Américain prononçant le serment d'allé-
geance, lord Pendlebury posa une main sur son cœur,
sans nul doute dans le but de protéger son porte-
feuille, et déclara : « J'ai déjà donné pour la recherche
contre le cancer.

— Mais là, il s'agit de Save The Children.

— Je *n'aime pas* les enfants ! Il y en a trop.
Allez-vous-en ! »

Elle s'apprêtait à l'enguirlander vertement,
mais James Lacey s'empressa d'intervenir : « Vous
avez de bien belles écuries, monsieur. Ça ne vous
dérange pas que nous allions y jeter un coup d'œil ?

— Ça changerait quoi que ça me dérange, hein ?
Les propriétaires terriens n'ont plus aucune inti-
mité de nos jours ! Quand c'est pas des fouineurs
de votre espèce, c'est ces damnés d'écologistes
qui parcourent mes terres avec leur sac sur le dos
en mangeant des barres de céréales diététiques et
en pétant. Vous savez ce qui détruit la couche
d'ozone ? C'est les toqués de la diététique, qui
bouffent leurs immondes barres complètes aux
noix et qui lâchent leurs pets partout dans la
nature. Ils émettent des tas de gaz nocifs. Faudrait
les abattre.

– Tout à fait, fit James avec indifférence, tandis qu'Agatha mitraillait le châtelain du regard.

– Vous n'avez pas l'air d'un mauvais bougre, vous, déclara lord Pendlebury, scrutant James dans la pénombre. Mais cette femme, là, elle ressemble aux militants antichasse qui sont complètement gagas devant leurs chers petits renards.

– Écoutez un peu, vous… », commença-t-elle en avançant vers lui, menaçante.

James l'empoigna par le bras et la guida vers la porte. « Merci pour votre aimable invitation, lord Pendlebury, lança-t-il par-dessus son épaule. Nous serons ravis de visiter vos écuries. »

« Quelle espèce de vieux malpoli ! fulmina Agatha une fois ressortie dans le vestibule.

– Il est âgé, répondit James avec un haussement d'épaules. Laissez-le tranquille. On va pouvoir visiter les écuries, et c'est ce qu'on voulait. »

Mais Agatha était piquée au vif. Elle se sentait gravement insultée. Pire, elle pensait que lord Pendlebury avait réussi, à travers son pull et son luxueux manteau en peau de mouton, à percer à jour son âme de prolétaire.

« Je vais avoir une petite discussion avec Mrs. Arthur, dit-elle. Elle gagnerait sans doute plus en travaillant dans une usine ou un supermarché.

– Son mari est aussi employé par lord Pendlebury, fit remarquer James. Ils habitent un cottage sur la propriété, et ils peuvent avoir tous les légumes du jardin maraîcher qu'ils veulent, tout ça gratuitement. En plus, vous voulez persuader Mrs. Arthur de partir dans le seul but de vous venger du vieux, parce qu'il vous a prise pour une protectrice des renards atteinte de flatulences. »

Comme c'était la stricte vérité, Agatha décida que James était un homme complètement dénué de charme et d'intérêt, en fin de compte.

Ce qui l'irritait, aussi, c'était de voir que même si son voisin avait passé moins de temps qu'elle dans le village, il avait l'air de connaître un nombre remarquable de ses habitants. Comme si cela ne suffisait pas, en apercevant l'entraîneur de lord Pendlebury, Sam Stodder, il le héla et le lui présenta.

« Lord Pendlebury a dit qu'on pouvait jeter un coup d'œil aux écuries, Mr. Stodder, dit-il. Triste histoire, la mort de ce véto, hein ?

– Triste, pour sûr. Ça s'est passé juste là-bas. Il était en train d'opérer Sparky pour qu'il arrête de siffler.

– Et il n'y avait personne d'autre dans les parages ?

– Non. Lord Pendlebury, il avait une nouvelle pouliche à l'enclos, alors il nous a tous emmenés là-bas qu'on y jette un œil. On était tous là à discuter, à fumer et à admirer la bête, vu que c'est pas tous les jours que le vieux il nous laisse un peu flemmarder. Un vrai négrier, question boulot. Pis Bob Arthur, l'homme à tout faire à Monsieur, il a dit en s'éloignant comme quoi il allait voir comment ça se passait pour le véto. Et voilà-t-il pas qu'il ressort aussi sec en poussant des cris et en hurlant que Bladen est mort. "On dirait qu'il s'est fait liquider", qu'il fait. Alors Monsieur a dit qu'on appelle la police.

– Et c'est là-dedans que ça s'est passé ? » demanda Agatha en approchant de l'aile droite du bâtiment.

Les deux hommes la suivirent à l'intérieur. Il n'y avait rien à voir. Les têtes des chevaux dépassaient d'une rangée de boxes qui allait se perdre dans l'obscurité. « C'est la partie la plus ancienne des écuries, expliqua Sam. De l'autre côté, les boxes ouvrent directement sur la cour, pas sur le dedans comme ici. »

Agatha examina le sol, mais on ne voyait rien, pas même un éclat de verre.

« Pourquoi Mr. Arthur a-t-il dit qu'il s'était fait liquider ? demanda-t-elle.

– Vu qu'y avait pas grand monde qui l'aimait, j'imagine. Avec les chevaux, c'était un as, remarquez. Lord Pendlebury, il trouvait qu'il manquait de respect, alors il voulait Mr. Rice, l'associé à Bladen, de Mircester. Mais Mr. Rice, lui, il aime pas le patron, pour ça, c'est rien de le dire, et il trouve toujours des excuses pour pas venir.

– Qui aimerait un affreux vieillard comme lord Pendlebury ? fit Agatha.

– Vous avez bien le droit d'avoir votre opinion, pour sûr, mais comptez sur personne, ici, pour dire du mal du patron. Vous êtes dans le coin depuis moins longtemps que Mr. Lacey, sans quoi vous sauriez que c'est pas bien vu de critiquer Monsieur, pour ça, non.

– Je suis ici depuis considérablement plus long-temps que Mr. Lacey, répondit-elle, vexée.

– Eh bien, y a des gens qui s'intègrent et pis d'autres non, conclut Sam. Bon après-midi. »

Sur ces mots, il porta la main à sa casquette et s'éloigna tranquillement.

« Quel plouc arriéré ! s'exclama Agatha.

– Sam est un type bien, et en l'occurrence, les ploucs, c'est nous.

– Quoi ?

– À fourrer grossièrement notre nez partout. Que diable faisons-nous ici, Mrs. Raisin ?

– Agatha.

– Agatha. Bladen a été victime d'un malheureux accident.

– Je n'en suis pas si sûre », répondit-elle, davan-tage par esprit de contradiction que par conviction.

Ils regagnèrent en flânant l'avant du manoir, où était garée la voiture d'Agatha. Elle avait l'air flam-bant neuve après les réparations coûteuses qu'elle avait subies. Lord Pendlebury vint à leur rencontre. Grand et maigre, la silhouette évoquant celle d'un héron, il les rejoignit à grandes enjambées.

« Qu'est-ce que vous fabriquez ici ? lança-t-il avec colère. Il y a une journée portes ouvertes tous les ans, le 1er juin ; le reste du temps, vous n'avez rien à faire sur une propriété privée.

– C'est nous, répondit James patiemment. Vous nous avez donné la permission de visiter vos écuries. »

Il les regarda en plissant ses yeux clairs et larmoyants, puis fixa son attention sur Agatha. « Ah ! La militante antichasse à courre. Qui est-ce qu'on n'est pas obligés de se coltiner, de nos jours ! »

Là-dessus, il se dirigea vers les écuries, laissant James amusé et Agatha furibarde.

« On ne peut pas dire que vous ayez la cote, fit James.

– C'est un vieux gâteux », rétorqua-t-elle.

Que de fois elle s'était attardée, lorsqu'elle visitait un majestueux manoir, à la limite des parties interdites au public, dans l'espoir qu'un membre de la famille passant par là la reconnaîtrait comme quelqu'un de son monde et l'inviterait à prendre le thé ! Ce fantasme lui apparaissait complètement ridicule à présent.

Elle reprit le volant pour retourner au village. Elle était blessée, elle se sentait gauche et inférieure. James lui lança un regard oblique, et quelque chose le poussa à dire : « Ça fait une éternité que je ne suis pas allé au Red Lion. Ça vous dit d'aller y boire un verre, ce soir ? »

Le moral d'Agatha remonta en flèche, à la manière du faisan qui s'envola brusquement devant les roues de sa voiture, puis passa de l'autre côté de la haie bordant la route. Mais ce fut d'un ton léger et désinvolte qu'elle répondit : « Ce serait bien. À quelle heure ?

– Oh ! vers huit heures. J'ai à faire à Moreton, alors je vous retrouverai là-bas. »

Il regrettait déjà son invitation, et pourtant il n'y avait aucune trace de cette lueur prédatrice qu'il lui était arrivé de remarquer dans les yeux de sa voisine, par le passé.

Supposant que James ne prendrait pas la peine de se changer, Agatha se retint de se mettre sur son trente-et-un. Elle donna à manger à ses chats et joua avec eux en essayant de ne pas regarder l'heure. Son excitation augmentait à mesure que le soir approchait. Bien qu'elle se fût, avec l'aide de Mrs. Bloxby, entraînée à cuisiner, elle passa un plat de lasagnes au micro-ondes pour son dîner, de façon à ne pas perdre davantage de temps en préparatifs compliqués. C'était infect ! Comment avait-elle jamais pu manger un truc aussi immonde ?

Elle marcha jusqu'au pub. La pleine lune brillait, baignant tout d'une lumière argentée et faisant ressortir les bras squelettiques des arbres sur le fond du ciel étoilé. Des fleurs de verveine blanches et roses embaumaient l'air d'un parfum qui lui rappelait prosaïquement l'odeur d'un savon de luxe. À exactement huit heures et trois minutes, elle poussa la porte du Red Lion.

James Lacey se trouvait déjà dans la salle aux

poutres apparentes, debout au comptoir, en pleine conversation avec le patron.

« Qu'est-ce que vous prenez ? lui demanda-t-il en guise de salutation.

– Un gin tonic, répondit-elle en s'installant gaiement sur un tabouret.

– Je me demandais... », commença-t-il en payant sa boisson.

Mais elle ne devait jamais savoir ce qu'il se demandait, car à cet instant, la porte du pub s'ouvrit et les jappements d'un jack russell, accompagnés d'une forte odeur de parfum français, annoncèrent l'arrivée de Mrs. Huntingdon, nouvellement installée à Carsely.

À la grande consternation d'Agatha, James lança : « Bonsoir, Freda. Qu'est-ce que vous buvez ? Vous connaissez Agatha Raisin ? Agatha, je vous présente Freda Huntingdon. »

Alors comme ça, c'était Freda, hein ? pensa sombrement Agatha. La veuve portait un gilet sans manches rouge cerise par-dessus un pull en cachemire noir, assorti d'une courte jupe en laine de la même couleur. Elle avait de très belles jambes, gainées de fins bas noirs.

« Allons nous asseoir à la table là-bas, proposa James après avoir commandé un whisky à l'eau pour la nouvelle venue.

– Peut-être que Freda a rendez-vous avec quelqu'un, suggéra Agatha, pleine d'espoir.

– Non, fit l'autre d'une séduisante voix rauque,

j'suis toute seule. Je me disais que je vous trouverais peut-être ici, James. Comment ça avance, ce livre ? »

James ! Freda ! Zut alors ! Agatha s'affala à la table, près du feu de cheminée, et s'efforça de ne pas laisser paraître son amère déception.

« Pas bien du tout, répondit James. Je cherche le moindre prétexte pour ne pas m'y mettre. Ce matin, j'ai dégivré mon frigo, et cet après-midi, Mrs. Raisin...

– Agatha, je vous en prie.

– Désolé. Agatha et moi sommes allés voir lord Pendlebury.

– Qu'il est chou, hein, vous ne trouvez pas ? murmura Freda. C'est un gars de la vieille école.

– Comment le connaissez-vous ? demanda Agatha.

– J'ai discuté avec lui devant l'église, dimanche dernier. Je l'ai trouvé tout à fait charmant.

– Je ne crois pas qu'Agatha l'ait trouvé charmant du tout, fit James. Il l'a prise pour une militante antichasse. »

Freda Huntingdon rit de bon cœur. Puis son chien urina contre un pied de la table, alors elle le gronda doucement, ramassa la répugnante bestiole glapissante pour l'installer sur ses genoux, et la cajola.

« Vous avez vu le dernier *Star Trek*, James ? demanda-t-elle, avant d'allumer une cigarette et de souffler la fumée en direction d'Agatha.

– Je n'ai vu aucun *Star Trek*, et encore moins le dernier.

– Vous avez tort ! C'est drôlement amusant ! Le nouveau passe à Mircester. J'ai une idée, venez le voir avec moi demain. »

À cet instant, Agatha vit Jimmy Page entrer dans le pub. Elle sentait qu'elle ne pourrait pas supporter le duo Freda/James une minute de plus. Elle se leva donc en emportant son gin tonic. « Je vais boire un verre avec Jimmy. »

L'agriculteur la salua chaleureusement. « Les jours rallongent, Agatha. On aura pas le temps de dire ouf que le printemps sera déjà là. J'ai appris, pour votre accident, désolé. »

Jimmy était un homme joyeux aux manières faciles. Elle lui raconta son accident en détail. Il lui offrit un autre gin tonic. Elle se hissa sur un tabouret de bar à côté de lui et s'efforça d'oublier le tandem assis dans le coin.

« Sale histoire avec le véto, dit Jimmy.

– Vous alliez consulter chez lui, non ? Je vous ai vu la première fois que j'y ai emmené mon chat. Qu'est-ce que vous en pensiez ?

– C'était pratique de faire un saut au cabinet pour récupérer des antibiotiques et tout. Je me suis jamais trop posé de questions sur le bonhomme. Et pis, j'ai appris ce qu'il avait fait au chat à Mrs. Josephs, alors j'y suis plus retourné. C'était cruel, y a pas d'autre mot.

– Vous ne croyez pas qu'il s'est fait zigouiller, si ?

– Ah ! vous cherchez un autre meurtre à résoudre, hein ? la taquina-t-il. Un triste accident, que c'était. Les obsèques ont lieu lundi prochain à Mircester, à St. Peter.

– J'irai peut-être.

– Vous étiez amie avec lui, alors ?

– J'ai dîné avec lui, un soir, mais nous n'étions pas vraiment amis. »

Jimmy vida sa chope et la reposa sur le comptoir. « Vaudrait mieux que j'y aille. J'ai dit à la patronne que je buvais juste un coup. Si vous passiez à la maison dire bonjour ? »

Agatha ressentit soudain une envie furieuse de se retourner. Mais à cet instant, Mrs. Huntingdon partit d'un rire flûté, auquel son chien répondit par une salve d'aboiements.

« Avec plaisir », répondit-elle en prenant son sac.

Elle se retourna enfin et salua James d'un geste désinvolte, puis s'en alla en compagnie du fermier.

James Lacey la regarda partir avec un certain étonnement. Et lui qui avait cru qu'elle lui courait après !

4

Il neigeait lorsqu'Agatha pénétra dans l'église St. Peter, à Mircester, le lundi suivant. Elle regrettait déjà d'être venue, poussée par son entêtement à éclaircir les circonstances du décès de Paul Bladen. Mais au moins, tant qu'elle s'occupait de la mort du vétérinaire, elle ne se lamentait pas au sujet de James Lacey.

L'église était très ancienne, avec de jolis vitraux et un affreux autel dix-septième en bois sombre. Agatha s'assit sur un banc du fond, abaissa le prie-Dieu devant elle, s'installa en faisant mine de prier et étudia l'assemblée. Mais tout ce qu'elle voyait, c'étaient des nuques. Il semblait y avoir pas mal de femmes. L'une d'elles tourna la tête. Mrs. Huntingdon ! Elle reconnut ensuite la silhouette massive de Mrs. Mason, la présidente de la Société des dames de Carsely, deux rangées devant, et alla s'asseoir à côté d'elle.

Mrs. Mason serrait dans sa main un mouchoir

humide. « Que c'est triste ! chuchota-t-elle. Un si charmant jeune homme !

— Pas si jeune que ça », corrigea Agatha, s'attirant un regard plein de reproches.

Le cercueil fut apporté et placé dans l'allée centrale, juste devant l'autel. « Là-bas, c'est Mr. Rice, l'associé de Mr. Bladen, dit Mrs. Mason. Devant, à gauche. »

Parmi les hommes qui avaient transporté le cercueil, Agatha distingua un homme d'âge mûr, aux cheveux roux et frisés, solidement charpenté.

« Qui est là, du village, à part nous deux et Mrs. Huntingdon ? demanda-t-elle.

— Là-bas, sur la droite, Mrs. Parr et Miss Webster. »

Agatha se pencha en avant. Les deux femmes pleuraient. Mrs. Parr était petite et plutôt jolie. Miss Webster, d'un âge indéterminé, approchait peut-être de la quarantaine. Agatha l'identifia comme la personne qui tenait la boutique de fleurs séchées.

« Je suis étonnée de vous voir toutes si bouleversées, murmura-t-elle, après ce qu'il a fait au chat de Mrs. Josephs.

— Il a bien agi ! marmonna farouchement Mrs. Mason. Ce chat était trop vieux pour notre monde.

— J'espère que personne ne pense la même chose de moi.

— Chut ! » ordonna un homme devant elles, excédé.

La cérémonie commença.

Mr. Peter Rice rendit hommage à son associé, le pasteur cita saint François d'Assise, on chanta des cantiques, puis on souleva de nouveau le cercueil et toute l'assemblée le suivit en file indienne jusqu'au cimetière.

C'était curieux, songea Agatha, mais il était difficile d'imaginer que, de nos jours, on enterrait encore les morts dans de vieux cimetières jouxtant les églises. Une courte cérémonie dans un crématorium était devenue la norme. Elle s'était toujours étonnée des scènes d'enterrement dans les téléfilms, et elle avait toujours supposé que la société de production avait offert un bon petit pactole à la paroisse pour faire creuser le trou dont elle avait besoin. Tous les vieux cimetières d'Angleterre n'étaient-ils pas pleins à craquer depuis la fin du dix-neuvième siècle ?

Les flocons de neige voletaient parmi les pierres tombales obliques ; une pie vint se poser sur la branche d'un cèdre et observa la scène d'un œil intrigué.

« Là, c'est son ex-épouse », dit Mrs. Mason. Une femme maigre, aux cheveux grisonnants et au visage sans caractère, regardait sombrement droit devant elle. Elle portait un manteau en renard par-dessus un tailleur rouge. Pas de vêtements de deuil pour elle.

L'enterrement lui-même fut tellement digne et émouvant qu'Agatha se fit la réflexion que revendiquer son petit carré de terre dans un cimetière de campagne était une très bonne idée. Mais dès la cérémonie terminée, après avoir marmonné un mot d'adieu à Mrs. Mason, elle s'élança à la poursuite de l'ex-épouse du vétérinaire, qu'elle rattrapa sous le porche du cimetière.

« Je m'appelle Agatha Raisin, dit-elle. Je crois comprendre que vous êtes la femme de ce pauvre Mr. Bladen.

— J'étais, répondit l'autre avec un soupçon d'impatience. Il fait vraiment très froid, Mrs. Raisin, et j'ai hâte de rentrer chez moi.

— Ma voiture est juste devant. Je peux vous déposer quelque part ?

— Non, j'ai ma propre voiture.

— Je me demandais si nous pourrions avoir une petite discussion », la pressa Agatha.

Une expression de dégoût apparut sur le visage de Mrs. Bladen. « Toute ma vie, j'ai été harcelée par des femmes qui voulaient me parler après s'être fait plaquer par mon mari. Il est mort et c'est tant mieux. »

Elle s'éloigna d'un air digne.

Tout le monde me snobe, on dirait, songea Agatha. *En tout cas, une chose est sûre : notre vétérinaire était un coureur de jupons. Si seulement j'arrivais à prouver que sa mort n'était pas un accident, mais un assassinat, on serait bien obligé de s'intéresser à moi !*

Carsely était souvent victime de pannes de courant qui duraient tantôt plusieurs jours, tantôt quelques secondes seulement.

Le lendemain des obsèques, James Lacey sonna à la porte d'Agatha. Comme on n'entendait généralement pas le bruit de la sonnette depuis l'extérieur, il ne se douta pas qu'une de ces brèves coupures était en cours.

Il jeta un coup d'œil à la pelouse devant le cottage. Elle était envahie par la mousse. Sa voisine savait-elle comment la traiter ? Il se pencha pour voir de plus près. À cet instant, Agatha, qui pensait avoir entendu du bruit dehors, regarda par le judas, mais, ne voyant personne, se retira dans la cuisine, à l'arrière de la maison. James Lacey se redressa et appuya de nouveau sur la sonnette. Cette fois, Agatha avait trouvé des miettes sur la moquette et branché l'aspirateur.

James battit en retraite, déconcerté. Il se rappela toutes les fois où il avait fait semblant d'être absent quand sa voisine venait le voir.

Il rentra chez lui, se prépara une tasse de café et s'assit à son bureau. Il alluma son nouvel ordinateur et fixa l'écran d'un œil lugubre tout en recherchant le fichier qui l'intéressait. Ah ! voilà. « Chapitre 2 ». Si seulement il avait écrit ne serait-ce qu'une phrase ! Pourquoi s'était-il mis en tête de rédiger un livre d'histoire militaire, de toute façon ? Ce n'était pas parce qu'il était militaire à la retraite qu'il devait se limiter à ce genre de sujet. Et puis, pourquoi avoir choisi la guerre d'indépendance espagnole ? Tout n'avait-il pas été dit là-dessus ? Mon Dieu, que la journée lui paraissait longue ! Ç'avait été amusant de rendre visite à Pendlebury. Bien sûr, la mort de Bladen était accidentelle. Et pourtant, il y avait cette bosse à l'arrière du crâne.

Ce serait peut-être plus amusant d'écrire un roman à énigmes. À supposer, par exemple, que le véto ait été assassiné ; comment s'y prendrait-on pour découvrir ce qui s'était réellement passé ? Eh bien, la première étape consisterait à comprendre *pourquoi* il avait été tué, car ce pourquoi conduirait très certainement à démasquer le *coupable*.

Si Agatha lui avait ouvert la porte et n'avait pas paru l'éviter, il aurait sans doute laissé tomber le sujet. De même, s'il avait réellement eu envie d'écrire un livre d'histoire militaire. Il poussa une exclamation de dégoût, éteignit son ordinateur et ressortit. Il n'y avait aucun mal à sonner une fois de plus chez sa voisine. Il s'était de toute évidence trompé quand il avait cru qu'elle lui courait après. Et c'était *elle* qu'il avait invitée à boire un verre au Red Lion la veille, pas Freda Huntingdon ! Ce n'était pas de sa faute si Agatha avait brusquement décidé de partir avec ce fermier.

C'était une belle journée de printemps, claire et légère, où flottaient des odeurs de végétation naissante. Cette fois, la porte d'Agatha était ouverte. Il entra, cria son nom, et faillit lui foncer dedans. Assise en tailleur dans l'entrée, elle jouait avec ses chats.

« J'ai la berlue, ou vous en avez deux ? demanda-t-il.

– Le nouveau est un chat perdu que j'ai recueilli à Londres, expliqua-t-elle en se levant précipitamment. Un café ?

– Pas de café, non. Je crois bien que j'en ai bu toute la matinée. Du thé, volontiers.

– Va pour le thé, fit-elle en le précédant dans la cuisine.

– À propos d'hier soir, dit James, hésitant sur le pas de la porte, nous n'avons pas vraiment eu l'occasion de parler.

– Ah, c'est toujours pareil avec les pubs, répondit-elle en feignant l'indifférence. On se retrouve toujours à discuter avec une autre personne que celle avec qui on est arrivé. Lait ou citron ?

– Citron, s'il vous plaît. Je réfléchissais, à propos du vétérinaire. Est-ce que vous êtes allée aux obsèques ?

– Oui. Il y avait beaucoup de femmes. Beaucoup de femmes, qui avaient l'air de beaucoup l'apprécier : ça m'étonnerait fort qu'il se soit amusé à euthanasier leur chat sans qu'elles le lui aient demandé.

– Qui était là, du village ?

– À part moi, les quatre admiratrices qu'il lui restait : votre amie Freda Huntingdon, Mrs. Mason, Mrs. Harriet Parr et Miss Josephine Webster. Oh ! et aussi son ex-épouse. Tiens, c'est bizarre.

– Quoi donc ?

– Le soir où j'étais censée dîner à Evesham et où j'ai eu mon accident, j'ai appelé chez Paul, et une femme m'a répondu en se présentant comme son épouse… »

Agatha s'interrompit.

« Et alors ?

– Et alors, Paul Bladen m'a affirmé plus tard que c'était sa sœur qui faisait l'idiote ou je ne sais quoi. Mais personne d'autre n'a mentionné sa sœur. J'ai oublié de demander si elle était là, à l'enterrement.

– On pourrait aller se renseigner à Mircester », suggéra James.

Agatha se détourna aussitôt et tripota la bouilloire pour masquer la soudaine lueur de ravissement apparue dans ses yeux.

« Donc, vous pensez qu'il s'agit d'un assassinat ? demanda-t-elle.

– Non, admit-il avec un soupir. Mais ça pourrait être rigolo de faire comme si. Je veux dire : poser des questions, ce genre de trucs, comme si c'en était un.

– Je vais chercher mon manteau. »

Elle fila à l'étage, contemplant sa tenue dans le miroir : pull et jupe. Mais elle n'avait pas le temps de se changer, car si elle ne se dépêchait pas, James risquait de tout laisser tomber.

« Je vais juste chercher un peu d'argent », cria-t-il dans l'escalier.

Elle jura tout bas. Et si quelqu'un l'interceptait sur la courte distance qui séparait sa maison de la sienne ? Elle redescendit et sortit aussi sec.

Et voilà : Freda Huntingdon discutait avec lui et riait, avec son foutu chien sous le bras qui poussait des glapissements ! Agatha serra les poings en les voyant disparaître dans le cottage de James. Elle resta debout sur son carré de pelouse, indécise. Et s'il l'oubliait ? Mais il ressortit au bout de quelques secondes. Freda glissait un livre dans sa poche. Elle lui fit au revoir de la main, puis il rejoignit Agatha. « On prend ma voiture ? demanda-t-il. Pas besoin d'en prendre deux.

– Non, la mienne, ça ira. »

Il grimpa sur le siège passager. Quand ils dépassèrent Freda, elle se retourna et les fixa d'un air éberlué. Agatha donna une allègre série de coups de klaxon et tourna vite au coin de la rue.

« Que voulait la veuve joyeuse ? demanda-t-elle.

– Freda ? Elle venait récupérer un livre qu'elle m'avait prêté. »

Agatha aurait volontiers continué à bavarder gaiement tout le long du chemin jusqu'à Mircester, et elle aurait sans doute fait fuir James une fois de plus, mais à cet instant précis, elle sentit qu'un bouton lui poussait sur le bout du nez. Elle loucha pour le voir : la voiture fit une violente embardée, puis elle corrigea sa trajectoire.

« Est-ce que ça va ? demanda James. Vous voulez que je conduise ?

– Non, ça va », répondit-elle.

Mais elle sombra dans un silence inquiet. Elle sentait le bouton grossir, grossir, grossir, un gratouillement douloureux au bout du nez. Pourquoi fallait-il qu'une chose pareille se produise justement aujourd'hui ? Voilà ce qui arrivait quand on mangeait de la nourriture « saine », comme le recommandait Mrs. Bloxby. Alors que des années de fast-food ne lui avaient jamais causé le moindre problème de peau ! Une seule solution : en arrivant à Mircester, elle dirait qu'elle avait besoin de quelque chose à la pharmacie – un gentleman digne de ce nom ne demanderait pas quoi – et ensuite, qu'elle mourait de soif.

Elle se gara sur le dernier emplacement libre de la grand-place, coiffant au poteau une voiture qui faisait prudemment marche arrière pour s'y glisser. La conductrice la dévisagea avec un mélange de peine et de colère. Dès qu'ils furent descendus de voiture, elle annonça, en détournant la tête : « Faut que j'aille à la pharmacie, là-bas. » Puis, tel Pilate demandant à Jésus : « Qu'est-ce que la vérité ? », elle s'en alla sans attendre la réponse.

À la pharmacie, de l'autre côté de la place, elle acheta un stick correcteur, de la lotion astringente et, pour faire bonne mesure, un nouveau rouge à lèvres Rose Vif.

Quand elle entra dans le pub, James lui fit signe, mais elle fila aux toilettes sans s'arrêter, détournant toujours le visage.

Une fois aux toilettes, elle se nettoya la peau, appliqua la lotion puis s'essuya avec un mouchoir en papier. Elle examina son nez. Un petit bouton rouge brillait tout au bout. Elle le masqua soigneusement avec du correcteur, ce qui eut pour effet de le transformer en une tache beige, qu'elle recouvrit de poudre. Comme la lumière ne fonctionnait pas, elle ne pouvait que deviner le résultat. Elle leva les yeux. Il y avait bien une douille au plafond, mais elle remarqua qu'il manquait l'ampoule et que la pièce n'était éclairée que par le peu de lumière qui filtrait par les carreaux crasseux d'une fenêtre placée très haut au-dessus du lavabo. Elle se souvint alors qu'elle avait acheté la veille un lot d'ampoules 100 watts qu'elle avait laissées dans sa voiture. Elle ressortit donc. Une fois de plus, James lui fit signe, et une fois de plus, elle fonça sans s'arrêter ni le regarder, en direction de la porte. James but une gorgée de bière, songeur. Il lui était arrivé de penser qu'Agatha Raisin était dérangée. Peut-être que c'était vrai. La voilà qui revenait, courant en crabe, et s'engouffrait dans les toilettes pour dames.

Agatha leva les yeux au plafond. Pour atteindre la douille, elle allait devoir monter sur le lavabo. Elle remonta sa jupe, grimpa sur le grand lavabo victorien, puis se mit debout avec précaution. Elle tendit la main vers la douille.

Avec un bruit à vous crever le tympan, le lavabo se détacha du mur. Elle tangua dangereusement puis se raccrocha à un appui de fenêtre poussiéreux, tandis que le lavabo continuait à tomber lentement avant de s'écraser par terre dans un fracas tonitruant, emportant avec lui les robinets en laiton. Un jet d'eau froide jaillit violemment d'une conduite brisée pour atterrir droit sur la jupe d'Agatha.

Avec un petit gémissement, elle lâcha l'appui de fenêtre, sauta sur le sol inondé et, contournant les débris, ressortit en flèche dans la salle du pub, en refermant bien la porte derrière elle.

« On s'en va », dit-elle à James.

Il la regarda avec étonnement. « Je viens de vous commander un gin tonic !

– Oh, merci, répondit-elle, au désespoir. À la vôtre ! » Et elle vida son verre cul sec. « Allez ! »

Du coin de l'œil, elle vit de l'eau commencer à se répandre sous la porte des toilettes.

James la suivit dehors. Il remarqua avec consternation qu'une tache sombre était apparue au dos de sa jupe et se demanda s'il fallait le lui dire. Elle n'était pas si vieille que ça, tout de même, mais peut-être qu'elle avait des problèmes de vessie.

« Ah, ce pub-là a l'air beaucoup mieux ! » s'exclama-t-elle en poussant la porte du Potters Arms et en s'engouffrant à l'intérieur. Là encore, elle se précipita aux toilettes. À son grand soulagement, c'était un endroit moderne, équipé d'un sèche-mains. Elle ôta sa jupe et la plaça sous l'appareil jusqu'à ce que l'auréole commence à s'effacer. Puis elle s'allongea par terre et plaça ses pieds sous le jet d'air chaud. Le temps passa. Quand elle ressortit enfin, James, inquiet, en était à sa seconde pinte de bière.

« Je m'apprêtais à vous envoyer chercher, dit-il. Est-ce que ça va ?

– Oui », répondit-elle, rayonnante maintenant qu'elle avait découvert que son maquillage avait efficacement rempli sa fonction, et qu'elle était de nouveau au sec dans sa jupe.

James indiqua un verre sur la table. « Je vous ai commandé un autre gin. »

Elle lui sourit. « Aux détectives amateurs ! » fit-elle en levant son verre, avant de le reposer tout doucement, un air de consternation grotesque sur le visage. Car dans le pub venaient d'entrer, d'un pas décidé, Bill Wong et une de ses collègues. « J'ai fait tomber mon sac », marmonna-t-elle, et elle plongea sous la table. En pure perte.

« Sortez de là, Agatha », ordonna Bill.

Elle s'extirpa lamentablement de sa cachette, rouge de honte.

« Dites-moi, Agatha, qu'est-ce que vous avez fabriqué ? demanda Bill. J'ai été appelé au George par l'agent de police Wood, que voici. Une femme répondant à votre signalement a saccagé les toilettes pour dames du pub ; elle a arraché le lavabo du mur et provoqué une inondation. Des témoins présents sur la place vous ont vue entrer ici en courant. Qu'est-ce que vous avez à dire pour votre défense ?

– J'avais un bouton sur le nez, marmonna-t-elle.

– Plus fort, je ne vous entends pas.

– J'AVAIS UN BOUTON SUR LE NEZ ! » rugit-elle.

Tout le monde la regarda, et James Lacey aurait tout donné pour être ailleurs.

« Et comment cela vous a-t-il amenée à arracher le lavabo du mur ? demanda Bill.

– J'ai acheté du maquillage à la pharmacie, répondit Agatha, d'une voix blanche à présent. Je voulais cacher mon bouton, mais la lumière des toilettes ne marchait pas et je me suis dit qu'il fallait certainement mettre une nouvelle ampoule. Je me suis rappelé que j'en avais une boîte dans la voiture, alors je suis sortie en chercher une. Mais la seule solution pour accéder à la lumière, c'était de monter debout sur le lavabo. Il s'est détaché du mur. J'ai été tellement choquée que j'ai décidé de ne rien dire.

– Je suis désolé, mais il va falloir me suivre », fit Bill avec sévérité.

Que James Lacey ne propose pas de l'accompagner, mais se contente d'annoncer, dans un murmure gêné, qu'il allait lire les journaux en l'attendant, le fit dégringoler dans l'estime d'Agatha, toute tourneboulée qu'elle soit. Il était beau, le chevalier errant de ses rêves ! Il allait rester assis là, douillettement, pendant qu'elle affronterait sans aucun doute un patron de pub furibond.

James sortit peu après son départ. Il acheta deux

journaux, puis retourna au pub. Mais il n'arrivait pas à se concentrer sur les articles. Satanée Agatha ! Quelle bonne femme ! Qu'est-ce que c'était bête, ce qu'elle avait fait ! Mais alors le ridicule de toute cette histoire lui apparut brusquement et il se mit à rire, et une fois qu'il eut commencé, il fut incapable de s'arrêter, même si les autres clients s'éloignaient doucement de sa table d'un air inquiet. Au bout d'un moment, il s'essuya les yeux et, coinçant sous son bras les journaux, qu'il n'avait pas lus, marcha à grands pas jusqu'au George.

Agatha tendait au patron un chèque qu'il refusait. « Ah mais, vous n'allez pas vous en tirer comme ça ! » disait-il. C'était un individu antipathique dont le visage évoquait une tranche de cheddar : la peau jaune et légèrement suintante de rage. « Inculpez cette femme, monsieur l'agent, dit-il à Bill, nous nous verrons au tribunal. Je veux que vous l'inculpiez pour vandalisme ! »

James extirpa le chèque des doigts d'Agatha et tiqua légèrement en en découvrant le montant élevé. « C'est au-dessus de vos moyens, Agatha. Une dame comme vous, qui subsiste grâce à sa pension de veuve, ne peut pas se séparer d'une telle somme. Déclarez-vous insolvable, comme ça, s'il vous traîne au tribunal, il n'obtiendra pas un penny. Je connais un bon avocat à deux pas d'ici.

– Bonne idée, renchérit Bill. De toute façon, il vous faut un avocat. Il voudra savoir pourquoi il n'y avait pas d'ampoule au plafonnier dans les toilettes des dames, d'abord, et pourquoi le lavabo s'est détaché du mur aussi facilement. Il vaudrait mieux vérifier l'installation électrique du pub, aussi.

– C'est bon, je prends le chèque ! grommela le patron d'un air désespéré.

– Pas celui-là, un autre, répondit James avec fermeté. Agatha, sortez votre carnet de chèques et faites-en un nouveau pour la moitié de cette somme. »

Face-de-cheddar paraissait de nouveau au bord de l'explosion, mais le regard d'acier de James le réduisit au silence. Agatha remplit le second chèque tandis que James déchirait le premier.

Une fois qu'ils furent tous ressortis sur la place, Bill déclara : « Si on avait eu affaire à un patron de pub bien, respectable, je vous aurais peut-être inculpée, Agatha. Mais bon, grâce à Mr. Lacey, tout est réglé. Si vous veniez dîner ce soir ? »

Elle hésita. À l'origine, elle avait pensé que sa journée avec son voisin se terminerait peut-être par un dîner intime. D'un autre côté, il valait mieux continuer à jouer l'indifférence. « Oui, ça me ferait plaisir. Où est-ce que vous habitez ? Je connais votre numéro de téléphone, mais pas votre adresse.

– Au hameau Les Hêtres, numéro 24. Vous sortez de la ville par la Fosse Way, vous prenez la première à gauche, Camden Way, et quand vous arrivez à un feu, vous tournez à droite, puis à la première à gauche. Vous êtes arrivée aux Hêtres. C'est un cul-de-sac. »

Agatha griffonna ces indications au verso d'une facture de gaz.

« Quelle heure ? demanda-t-elle.

– Six. On mange tôt à la maison.

– On ?

– Mes parents. Vous avez oublié : j'habite encore chez eux. Venez aussi, Mr. Lacey. »

S'il vous plaît, ô Seigneur, s'il vous plaît ! pria Agatha.

Après un instant de surprise, James répondit : « Avec plaisir. J'avais plus ou moins décidé de ne pas travailler aujourd'hui. Est-ce que je peux venir dans cette tenue ? »

Bill eut l'air amusé. « Nous ne faisons pas de cérémonie. À ce soir, alors. » Il s'éloigna en compagnie de la grande policière, qui n'avait pas décroché un mot depuis le début.

« Bien, maintenant, il nous faut quelque chose à manger, dit James. Si on allait prendre une bière et un sandwich ? Ensuite, on décidera qui interroger au sujet de la sœur de Bladen. On aurait dû demander à Bill Wong. Tant pis, il sera toujours temps ce soir. »

Il ne fit aucune allusion à la mise à sac des toilettes, et Agatha lui en fut reconnaissante. Pourtant, elle ne put s'empêcher de bougonner : « On ne peut pas dire que je sois sans le sou.

– Je sais, répondit Lacey d'un ton aimable. Mais dès l'instant où le patron du pub a cru que vous étiez fauchée, il a été prêt à accepter n'importe quelle somme d'argent. »

Une fois qu'ils eurent déjeuné, il sortit un carnet et un stylo. « Pourquoi ne pas faire comme s'il s'agissait d'un meurtre et commencer par noter le nom de toutes les personnes à qui il faudrait parler ?

– À mon avis, l'ex-épouse serait une bonne idée, même si elle n'a pas été très aimable avec moi. Je sais ! On peut rendre visite au vétérinaire de la ville, l'associé de Bladen, Peter Rice ! Il saura forcément s'il avait une sœur. Ce serait déjà un début. »

Mr. Peter Rice était un homme d'allure pugnace, au gros nez en bulbe, à la bouche et aux yeux petits. Son horrible nez, qui dominait ses traits, était déconcertant : il donnait l'impression qu'on regardait un visage collé contre l'objectif d'un appareil photo. Son épaisse tignasse de cheveux roux frisés évoquait une petite moumoute qu'on aurait négligemment laissée tomber sur le sommet de son crâne plutôt pointu. Son cou était épais, puissant, de même que ses épaules. En fait, il avait un corps démesurément large et massif par rapport à sa tête : on aurait dit une tête de taille normale passée dans le trou d'une silhouette d'hercule de fête foraine.

Il ne fut pas du tout ravi d'apprendre qu'ils avaient attendu leur tour non pour consulter, mais pour l'interroger sur son associé défunt.

« Une sœur ? répéta-t-il en réponse à leurs questions. Non, il n'en avait pas. Il avait un frère quelque part à Londres, avec qui il était brouillé depuis un moment. Il n'a pas fait le déplacement pour les obsèques. » Ses mains, couvertes d'une épaisse couche de poils roux semblables à de la fourrure, se promenaient nerveusement sur une étagère remplie de flacons, comme si elles en cherchaient un portant l'étiquette « Volatilisation ».

« Maintenant, si vous voulez bien…

– Est-ce qu'il était riche ? demanda James.

– Non.

– Ah ! Comment le savez-vous ?

– Parce qu'il m'a laissé tout ce qu'il avait.

– Et combien ça faisait ? demanda avidement Agatha.

– Pas assez. Maintenant fichez le camp d'ici et laissez-moi m'occuper de mes clients ! »

« Alors, c'est lui qui hérite, et pas le frère ! Si ce n'est pas un mobile, ça ! triompha Agatha quand ils furent dehors. Voyons, qui serait susceptible de savoir quelle quantité d'argent est en jeu ?

– Le notaire. Mais je doute qu'il accepte de nous le dire. Essayons le rédacteur en chef du journal local. Ils sont toujours au courant de tout un tas de ragots. »

Les bureaux du *Mircester Journal* déçurent beaucoup Agatha, même si la gazette en question ne comptait guère plus de trois pages. Elle s'était naïvement attendue à trouver le même genre de salle de rédaction que celles qu'elle avait vues à l'occasion dans les journaux télévisés : des salles très grandes, immenses, remplies de rangées d'ordinateurs et de journalistes affairés. Mais le temps et les évolutions de l'imprimerie avaient passé sans effleurer le *Mircester Journal*, dont les locaux se réduisaient à quelques pièces obscures au sommet d'un escalier branlant. Une jeune femme blafarde aux cheveux raides et ternes tapait vigoureusement sur une machine à écrire archaïque, tandis qu'un jeune homme, debout à la fenêtre, contemplait la rue en sifflotant peu harmonieusement, les mains dans les poches.

« Est-il possible de rencontrer le rédacteur en chef ? » demanda James.

La jeune femme arrêta de taper.

« Si c'est pour une naissance, une mort ou un mariage, c'est moi qui m'en occupe.

– Il ne s'agit de rien de tout ça.

– Une réclamation ? On s'est trompé de nom sous une photo ?

– Non, pas de réclamation.

– Alors c'est différent. » Elle se leva. Elle portait une longue jupe en patchwork, des chaussures de sport à lacets et un tee-shirt où il était écrit : CASSE-TOI.

« Vous vous appelez ?

– Mrs. Raisin et Mr. Lacey.

– O.K. »

Elle disparut derrière une porte éraflée. On entendit un bourdonnement de voix, puis elle ressurgit. « Vous pouvez entrer maintenant. Mr. Heyford va vous recevoir tout de suite. »

Mr. Heyford se leva pour les accueillir. Après l'apparition en tee-shirt et chaussures de sport qui les avait introduits, ils furent plutôt surpris par son conservatisme : homme de petite taille, propre sur lui, il avait un visage lisse au teint olivâtre, des yeux noirs, et de fines bandes de cheveux noirs, huilés, lissés vers l'arrière du crâne. Il portait un costume sombre, avec chemise et cravate.

« Asseyez-vous, dit-il. Que puis-je faire pour vous ? Je reconnais votre nom, Mrs. Raisin. Vous avez récolté une sacrée somme pour les bonnes œuvres, l'an dernier. »

Agatha se gonfla d'orgueil.

« Nous connaissions tous les deux Paul Bladen, le vétérinaire, expliqua James, et nous avons fait une sorte de pari. Mrs. Raisin dit qu'il avait une grosse fortune, mais moi, j'ai eu l'impression qu'il n'avait pas grand-chose. Savez-vous combien il a laissé ?

– Je ne peux pas vous répondre avec précision parce que j'ai oublié. Dans les quatre-vingt-cinq mille livres, je dirais. Ça aurait représenté une fortune autrefois, mais ça ne suffirait même pas à acheter une maison convenable de nos jours. Bien sûr, il laisse une villa, qu'il avait achetée à crédit. Mais il l'avait hypothéquée, et vu ce que sont devenus les prix de l'immobilier, avec la crise, Mr. Rice, qui a hérité, en tirera à peine assez pour tout rembourser. Je n'aurais jamais cru que le jour viendrait, dans ce pays, où quatre-vingt-cinq mille livres ne seraient pas considérées comme une fortune, mais on dirait que vous avez gagné votre pari, Mr. Lacey. »

« Il n'a donc pas pu être tué pour son argent, conclut mélancoliquement Agatha quand ils eurent pris congé du rédacteur en chef. Et pourtant…

– Pourtant quoi ?

– S'il possédait bien quatre-vingt-cinq mille livres, pourquoi avoir hypothéqué sa maison ? Il devait payer des intérêts exorbitants ! Pourquoi ne pas rembourser une partie de l'argent qu'il devait ?

– Le problème, dit James, c'est que nous essayons de nous convaincre nous-mêmes que cet accident était un meurtre. »

Agatha réfléchit à toute vitesse. Si James renonçait carrément à l'idée de mener une enquête, elle n'aurait plus vraiment d'excuse pour passer du temps en sa compagnie.

« Pourquoi ne pas essayer d'aller voir sa femme ? suggéra-t-elle. C'est vrai, puisqu'on est là et qu'on a du temps à tuer avant d'aller chez Bill.

– Bon, d'accord. Comment va-t-on la trouver ?

– On va chercher dans l'annuaire, en espérant qu'elle a conservé son nom d'épouse. »

Ils trouvèrent une entrée au nom de G. Bladen. Habitant Rose Cottage, à Little Blomham.

« Little Blomham, où est-ce ? demanda Agatha.

– J'ai vu la direction indiquée sur un panneau, une fois. En partant de Stroud Road. »

Sur la route, la brume pâle ensevelissait le paysage, transformant la campagne alentour en une peinture chinoise. Ils descendaient vers Little Blomham qui, avec ses quelques maisons en pierre dorée des Cotswolds blotties au bord d'un ruisseau, tenait plus du hameau que du village à proprement parler.

Pas une âme à l'horizon, pas un filet de fumée sortant des cheminées, pas un aboiement.

Agatha coupa le moteur, et ils restèrent tous deux à écouter le silence troublant s'installer autour d'eux.

Puis James se mit à réciter :

« Oh ! ils entendirent bien son pied
sur l'étrier,
Puis le bruit du fer sur le pavé,
Puis comme doucement reflua le silence,
Quand le galop rageur au loin fut parti. »

Agatha le regarda avec irritation. Elle n'aimait pas les gens qui vous balançaient des citations à la figure, vous donnant le sentiment que vous étiez inculte et inférieur. Pour elle, tout ça, c'était de l'esbroufe.

Elle descendit de voiture et claqua la portière avec une violence inutile.

James sortit à son tour, avança tranquillement jusqu'à un muret de pierre et contempla en contrebas le cours paresseux du ruisseau. Perdu dans une sorte de rêverie, il semblait avoir oublié la présence d'Agatha. « Tout est si calme, dit-il, comme pour lui-même. Si anglais. Typique de cette Angleterre pour laquelle on s'est battu lors de la Première Guerre mondiale. Il en reste si peu de traces.

– Est-ce que vous voulez rester ici à méditer pendant que je cherche laquelle de ces pittoresques masures est Rose Cottage ? » demanda Agatha.

Il lui décocha un sourire. « Non, je vous accompagne. » Ils marchèrent ensemble sur la route longeant le ruisseau. « Voyons, celui-ci n'a pas de nom et le suivant s'appelle Au Bout du Chemin, bien que ça ne soit pas le dernier. C'est peut-être l'un des suivants. »

Ils faillirent manquer Rose Cottage. Il se trouvait très en retrait de la route, tout au bout d'une bande de jardin mal entretenu, envahi de mauvaises herbes. C'était une petite bâtisse au toit de chaume et aux murs couverts d'épaisses plantes grimpantes. « Ça ressemble plus à un terrier qu'à une maison, remarqua James. Bon, c'est parti. On ne va pas dire qu'on soupçonne qu'il a été assassiné. On va juste lui offrir nos condoléances, et voir où ça nous mène. »

Il toqua à la porte. Puis attendit. Ils restèrent plantés là, enveloppés dans le silence de cette campagne idyllique. Puis, comme si le charme avait été rompu, un oiseau s'envola tout à coup d'un buisson tout proche, un chien aboya sur la route, d'un aboiement aigu et strident, et Mrs. Bladen ouvrit la porte.

Eh bien, je crois qu'elle est plus âgée que moi, pensa Agatha en revoyant les cheveux grisonnants et les rides révélatrices sur le cou maigre de l'ex-épouse.

Le regard de Mrs. Bladen dépassa James pour s'arrêter sur elle, et ses traits se figèrent en une grimace de déplaisir.

« Ah, c'est encore vous !

– Mr. Lacey souhaitait vous témoigner sa sympathie, s'empressa de répondre Agatha.

– Pourquoi ? demanda l'autre d'un ton dur. Pourquoi quelqu'un ferait-il tout ce chemin afin de m'offrir ses condoléances pour la mort d'un homme dont j'étais divorcée ?

– C'est qu'à Carsely, nous sommes très solidaires les uns des autres, expliqua James, et nous nous demandions si nous pouvions vous aider d'une manière ou d'une autre.

– Oui, en partant d'ici. »

James lança un regard impuissant à Agatha. Elle décida de prendre le taureau par les cornes. « Est-ce que vous êtes sûre que votre mari est mort de mort naturelle ?

– Vous voulez dire que quelqu'un l'aurait tué ? fit Mrs. Bladen d'un air amusé. C'est plus que probable. C'était un homme on ne peut plus odieux et je suis contente qu'il soit mort. J'espère que vous êtes satisfaits. »

Sur ces mots, elle leur claqua la porte au nez.

« Voilà, c'est fini, dit James alors qu'ils remontaient l'allée envahie de mauvaises herbes.

– Mais on tient quelque chose ! répondit Agatha avec enthousiasme. Elle ne nous a pas ri au nez quand je lui ai suggéré qu'il s'agissait d'un meurtre, si ?

– Vous voulez mon avis ? demanda-t-il en lui tenant le portail. Nous sommes deux retraités qui ne savent pas quoi faire de leur temps.

– Ce n'est pas parce que vous n'arrivez pas à commencer votre bouquin, rétorqua finement Agatha, qu'il faut vous en prendre à moi.

– Un charmant petit village, vraiment, répondit James, changeant de sujet. Si calme, si paisible. Je me demande s'il n'y a rien à vendre ici.

– Oh ! vous ne voudriez pas habiter ici, tout de même ! s'exclama Agatha, alarmée. Enfin, Carsely n'est déjà pas terrible, mais ici, il n'y a absolument rien. Même pas une épicerie, ni un pub.

– Et alors, où est le problème, à l'âge de l'automobile ? Oh ! regardez. Ce panneau, là-bas : LE MANOIR. Je ne l'avais pas remarqué. Allons jeter un coup d'œil. »

Agatha le suivit sans un mot dans une allée sinueuse. Elle n'avait aucune envie de voir des manoirs : ils appartenaient au monde de James Lacey, non au sien. Au bout de l'allée bordée de buissons de rhododendrons, ils découvrirent tout à coup le bâtiment. La brume s'était éclaircie, la pâle lueur du soleil baignait les murs dorés. C'était une construction basse, biscornue, l'air solidement établie et charmante, dont s'exhalait une impression de tranquillité pluricentenaire. Agatha elle-même sentait bien que les guerres et les conflits, la peste et autres calamités avaient épargné cette vieille bâtisse.

Une petite femme trapue en twin-set et jupe de tweed sortit avec un retriever noir à ses pieds.

« Je peux vous aider ? lança-t-elle.

– Nous admirions juste votre magnifique maison, répondit James en s'approchant.

– Elle est magnifique, c'est vrai. Entrez donc prendre le thé. Je n'ai pas souvent de visiteurs en dehors de l'été, quand toute ma famille débarque pour profiter de vacances gratuites. »

James fit les présentations. La femme déclara qu'elle s'appelait Bunty Vere-Dedsworth. Elle les introduisit dans un vestibule sombre, puis dans une grande et vieille cuisine où brillaient de mille feux casseroles en cuivre et assiettes en porcelaine de Chine bleu et blanc, rangées sur un vaisselier ancien qui faisait toute la longueur du mur.

« Lacey, reprit-elle en branchant une bouilloire électrique. Je connaissais des Lacey, dans le Sussex.

– C'est de là que ma famille est originaire.

– Vraiment ! » Bunty Vere-Dedsworth avait des

yeux bleu clair dans un visage au teint rougeâtre.
« Le vieux Harry Lacey ?

– C'est mon père.

– Mince alors ! Que le monde est petit ! Vous arrive-t-il de… »

Exclue de cette conversation intimidante entre membres des classes supérieures qui consistait à échanger du tac au tac noms propres et exclamations de surprise, Agatha sirota son thé, morose, en sentant que James était en train de quitter sa sphère. Elle le voyait très bien habiter dans un lieu comme celui-ci, avec une épouse distinguée, et non une ex-chargée de relations publiques comme elle, qui n'aurait pu échanger des noms qu'avec un ancien habitant des quartiers pas très reluisants de Birmingham où elle avait grandi.

« Qu'est-ce qui vous amène ici ? demanda enfin Bunty.

– Le vétérinaire de Carsely est mort, répondit James, et nous sommes venus offrir nos condoléances à Mrs. Bladen. Mais elle ne semble pas en avoir besoin.

– Oh, non ! Elle a eu un mariage très malheureux.

– D'autres femmes ? suggéra Agatha.

– Je pense que c'était plus une question d'argent, ou plutôt de manque d'argent. Greta Bladen avait de la fortune quand elle a épousé Paul, et il en a visiblement dépensé une grande partie. Quand elle l'a quitté, ce petit cottage miteux est tout ce qu'elle a pu s'offrir. Elle le haïssait vraiment. J'ai entendu comment Bladen est mort. Si on l'avait retrouvé assassiné d'un coup de poêle à frire, et que c'était Greta qui le lui avait collé, cela ne m'aurait pas du tout surprise. Mais il fallait en connaître un rayon sur les produits vétérinaires pour choisir de lui planter une seringue pleine d'un liquide mortel dans le corps. C'est vrai, réfléchissez un peu. Quelle proportion de la population sait que ce machin est mortel ? Peut-être que son associé voulait le cabinet pour lui tout seul », conclut-elle avec un rire.

James consulta sa montre. « Il faut vraiment que nous y allions.

– Vraiment ? fit Bunty en souriant à Agatha. Alors revenez me voir. Ça me ferait plaisir. »

Agatha lui sourit à son tour : son complexe d'infériorité s'était envolé, elle n'avait plus le sentiment d'être de trop.

« Elle n'a pas tort, dit-elle tandis qu'ils repartaient en voiture. Je veux parler de Rice. Il fallait certainement que l'assassin s'y connaisse en médecine vétérinaire.

– Non, pas forcément. L'an dernier, tous les journaux du coin ont raconté l'histoire de ce vétérinaire qui est mort parce qu'un cheval a donné un petit coup dans sa poche de poitrine, et qu'elle contenait une seringue pleine du produit. Je l'ai lu. N'importe qui aurait pu en faire autant et s'en inspirer.

– Mais en tout cas, il fallait que ce soit quelqu'un

qui savait où allait Bladen, et pour quoi faire, ce jour-là.

– Ça aurait pu être n'importe laquelle de ses conquêtes. "Qu'est-ce que tu fais demain, Paul ? – Oh, je vais couper les cordes vocales d'un des chevaux de Pendlebury." Vous imaginez la conversation.

– Oui, mais mettons qu'il m'en ait fait part, à moi. Je n'aurais pas immédiatement pensé à l'étorphine.

– Non, mais en tant que vétérinaire, il a pu en parler, expliquer que c'était mortel et raconter l'accident survenu l'année dernière. J'ai l'intuition que c'est une femme qui a fait le coup. »

Agatha s'apprêtait à s'exclamer : « Alors vous pensez vraiment qu'il s'agit d'un assassinat ! », mais décida de garder le silence dans l'espoir de passer encore quelques jours avec lui à enquêter.

Elle fut très étonnée en découvrant la maison de Bill. Elle s'était naïvement imaginé quelque chose de plus, disons, oriental et exotique. Mais le lieu-dit Les Hêtres était une de ces coquettes impasses conçues par les promoteurs : des maisons toutes différentes, des pelouses bien nettes de banlieue résidentielle, le tout suintant la respectabilité et l'ennui. Elle avait beau savoir que le père de Bill était un Chinois de Hong Kong, et sa mère, origi-naire du Gloucestershire, elle ne s'était pas atten-due à ce qu'il habite un endroit aussi ordinaire.

Un panneau en bois pyrogravé, à côté du portail, annonçait le nom de la maison : CLARENDON.

Ils remontèrent une allée bien nette bordée de plates-bandes de fleurs strictement alignées et appuyèrent sur la sonnette, qui joua un refrain de *Rule, Britannia !*

Ce fut Bill qui ouvrit la porte. « Entrez ! Entrez ! Je vais vous installer au salon, ensuite j'irai chercher l'apéritif. Maman est à la cuisine, elle prépare le dîner. »

Agatha et James restèrent assis au salon, sans se regarder. Le mobilier se composait d'un canapé avec fauteuils assortis, pourvus de dossiers en éventail et couverts d'un vilain tissu de laine grise. Les stores vénitiens des fenêtres « panoramiques », garnies de rideaux ruchés, étaient baissés. La moquette était décorée de motifs géométriques criards rouges et noirs, et les murs, couverts de papier peint à rayures blanches et dorées de style Régence. Ici et là étaient disposés de chétifs petits guéridons à bords chantournés. Une vitrine pleine de poupées espagnoles et de babioles en porcelaine se dressait contre un mur. Un feu de cheminée, avec braises et charbons factices, brûlait joyeusement dans l'âtre sans parvenir à produire beaucoup de chaleur.

Agatha mourait d'envie de fumer une cigarette, mais il n'y avait aucun cendrier en vue.

Bill entra dans la pièce avec un plateau sur lequel étaient posés trois minuscules verres de sherry doux.

« Vous êtes reçus avec les honneurs, dit-il. Nous n'utilisons pas beaucoup cette pièce. Seulement pour les grandes occasions.

– C'est très joli », mentit Agatha.

Elle se sentait toute chose et mal à l'aise de voir son Bill, avec son air de petit bouddha, dans ce décor glacial de banlieue résidentielle anglaise.

« Est-ce que je peux utiliser vos toilettes ? demanda-t-elle.

– En haut de l'escalier. Mais n'escaladez pas le lavabo, surtout. »

Agatha monta les marches couvertes d'un épais tapis et poussa la porte d'une salle de bains aux faïences vert Nil. Le couvercle des toilettes était revêtu d'une housse en chenille. Au dos de la porte, un écriteau fleuri précisait : MERCI D'ESSUYER LE SIÈGE APRÈS VOTRE PETIT PIPI.

Elle tira sur le rouleau de papier hygiénique afin d'en détacher un morceau pour essuyer son rouge à lèvres, et sursauta de frayeur en entendant le support carillonner un air folklorique écossais.

« Le dîner est prêt », annonça Bill quand elle fut redescendue.

Il les emmena dans une petite pièce de l'autre côté de l'entrée, la salle à manger, où son père était assis en tête de table. C'était un petit monsieur chinois, à la moustache pendante et à l'air morose, qui portait un gilet gris trop large et de grandes pantoufles à carreaux.

Bill s'acquitta des présentations. Mr. Wong émit

un grommellement en guise de réponse, prit son couteau et sa fourchette, puis fixa du regard la surface luisante de la table en contreplaqué. Agatha baissa les yeux sur un set de table représentant l'abbaye de Tewkesbury et regretta d'être venue.

Un passe-plat donnant sur la cuisine s'ouvrit brusquement, et une voix stridente lança, avec un accent du Gloucestershire : « Bill ! La soupe ! »

Bill fit passer les assiettes. « Est-ce que tu as la bouteille de vin du Rhin, m'man ?

– Au frigidaire.

– Je vais la chercher. »

Mrs. Wong fit son apparition. C'était une femme imposante à la mine renfrognée et suspicieuse, qui paraissait contrariée d'avoir des invités. Bill servit le vin.

Ils mangèrent de la soupe à la queue de bœuf en conserve. On fit passer de petits triangles de pain. Même James Lacey semblait avoir perdu sa langue.

« Ensuite, il y a du rôti de bœuf, annonça Bill. Personne ne le réussit vraiment comme m'man.

– C'est bien vrai, ça », renchérit soudainement Mr. Wong, faisant sursauter Agatha.

Le rôti s'avéra incroyablement coriace, et les couteaux, émoussés. Il leur fallut toute leur concentration pour le tailler en morceaux. Le chou-fleur était nappé d'une épaisse couche de sauce blanche, les carottes étaient trop cuites et trop salées, le Yorkshire pudding évoquait du caoutchouc salé aussi ; quant aux petits pois, c'étaient de ces infâmes machins en boîte qui réussissent l'exploit de colorer en vert tout le contenu de votre assiette.

« Les journées rallongent, dit Mrs. Wong.

— C'est bien vrai, ça, répondit Mr. Wong.

— C'est bientôt l'été, ajouta la mère en mitraillant Agatha du regard, comme si elle la tenait pour responsable du passage des saisons.

— J'espère qu'il sera aussi beau que l'an dernier », fit James.

En entendant ces mots, Mrs. Wong lui sauta dessus : « Parce que vous appelez ça un bel été ? Tu entends, papa ? Il appelle ça un bel été !

— Y a des gens, vraiment ! marmonna Mr. Wong en se reservant du chou-fleur.

— Y a fait si chaud, j'ai failli avoir une de mes attaques. Pas vrai, papa ?

— Oh, si, c'est bien vrai, ça. »

Silence.

« Je vais chercher le dessert, annonça Bill.

— Asseye-toi donc, rétorqua sa mère. Ce sont tes invités. Je t'avais bien dit que je voulais regarder ce jeu à la télé, mais non, il a fallu que tu les invites ! »

Des bols de compote de pomme à la crème anglaise ne tardèrent pas à atterrir sans délicatesse devant eux. *Je veux rentrer chez moi*, pensa Agatha. *Mon Dieu, s'il vous plaît, faites que cette soirée se termine vite !*

« Emmène-les au salon, ordonna la mère une

fois fini cet effroyable dîner. Je vous apporte le café.

– Il faut absolument me montrer votre jardin, dit James. Je m'intéresse beaucoup aux jardins.

– Pas question qu'on aille attraper la crève en sortant dehors à cette heure, répondit Mrs. Wong, indignée. Hein, papa ?

– Drôle d'idée, proposer une chose pareille. »

Au grand soulagement d'Agatha et de James, ils restèrent seuls avec Bill pour le café.

« Je suis tellement heureux que vous ayez pu venir, dit le sergent. Je suis très fier de ma maison. Maman en a fait un vrai petit palais.

– C'est très douillet, mentit Agatha. Bill, vous êtes sûr qu'il n'y a rien de bizarre dans la mort de Paul Bladen ?

– Rien qu'on ait pu trouver, en tout cas, répondit-il d'un air amusé. Vous êtes allés fouiner, tous les deux, hein ?

– Oh, on a juste posé quelques questions. Bill, ça ne vous dérange pas que je fume une cigarette ?

– Moi, non, mais maman vous tuerait. Venez donc dans le jardin, vous pourrez fumer. »

Ils le suivirent dehors. James laissa échapper un petit cri de surprise. L'endroit était magnifiquement aménagé. Tout au fond, quelques cerisiers dressaient leurs branches roses et blanches dans le ciel du soir. Une glycine dont les premières feuilles commençaient à paraître s'enroulait au-dessus de la porte de la cuisine. « C'est mon petit coin à moi, dit Bill. Ça me change du travail de policier. »

James s'émerveillait de ce que Bill, qui savait manifestement reconnaître le Beau, ne trouve rien à redire à la maison de ses parents. Quant à Agatha, elle s'étonnait de ce que le jeune policier puisse avoir autant d'admiration et d'affection pour un couple aussi lugubre, puis trouva que cela le rendait admirable.

James s'égaya et s'anima en discutant plantes avec Bill ; Agatha se reprit à penser à son propre jardin négligé et décida que, si leur enquête tombait à l'eau, ils pourraient peut-être se retrouver autour du jardinage. Quand ils finirent par retourner dans l'affreux salon pour déguster un café épouvantable servi dans des tasses de dînette que Mrs. Wong appelait ses plus belles tasses à « espress », il n'y avait plus aucune trace de gêne entre eux.

« J'aime rendre les invitations, expliqua Bill à James. Je passe tout le temps prendre le café chez Agatha, mais elle n'était jamais venue ici. Maintenant que vous connaissez le chemin, vous serez toujours les bienvenus.

– Vous avez emménagé ici récemment ? demanda James.

– L'an dernier, répondit Bill avec fierté. Papa possède un pressing à Mircester, une affaire qu'il a bâtie à partir de rien. Oui, on est en train de monter dans la société. »

Sous l'effet de son naturel enjoué, son foyer

apparaissait vraiment comme le palais dans lequel il pensait habiter, et ce fut très chaleureusement qu'Agatha et James remercièrent Mrs. Wong avant de partir enfin.

« Ce n'est pas demain la veille que je remettrai les pieds ici, déclara Agatha au volant de sa voiture.

– Oh, non, j'ai encore faim ! répondit James. J'ai découpé le rôti et je l'ai caché sous les légumes pour faire croire que je l'avais mangé. On va s'arrêter boire un verre et manger un sandwich. »

Il avait parlé d'un air presque distrait, comme s'il s'adressait à une vieille amie, en tenant pour acquis qu'elle accepterait ; Agatha se sentit si ridiculement heureuse qu'elle en aurait pleuré.

Autour d'une bière et d'un sandwich, ils décidèrent de poursuivre leurs recherches le lendemain.

« Et Miss Mabbs ? demanda brusquement Agatha. Bladen était un coureur de jupons, non ? Miss Mabbs, c'est le nom de la jeune femme blafarde qui travaillait à l'accueil. Elle était forcément au courant de l'opération du cheval, au courant de tout, en fait. Je me demande où elle est, maintenant.

– On la trouvera demain. Vous pouvez fumer, si vous voulez.

– J'ai l'impression de faire partie d'une espèce en voie de disparition, fit Agatha, soudain plus gaie. Les gens sont devenus tellement intransigeants avec les fumeurs.

– C'est du puritanisme. Qui est-ce qui a dit, déjà, que si les puritains étaient opposés aux combats d'ours et de chiens, ce n'était pas à cause des souffrances qu'ils infligeaient aux ours, mais du plaisir que la foule y prenait ?

– Je ne sais pas. Mais il vaudrait mieux que j'arrête.

– Bill a fait une curieuse remarque quand on est partis, tout à l'heure. Il a dit : "N'allez pas remuer la vase, vous pourriez provoquer un véritable assassinat."

– Oh ! c'était une blague. Bill ne rate jamais une occasion de plaisanter. »

5

Agatha aurait été extrêmement étonnée qu'on la qualifie de romantique. Elle se considérait comme une femme réaliste et pragmatique. C'est pourquoi elle ne percevait pas la folie de ses fantasmes et de ses rêves extravagants.

Dans sa tête, depuis qu'elle avait dit bonsoir à James Lacey la veille, elle était mariée avec lui, et elle rêvait, la plupart du temps, d'une ardente lune de miel où James lui disait des choses magnifiques comme en dit un amant à la femme qu'il aime ; car ce qu'il y a de charmant dans les rêves, c'est qu'on peut en écrire les dialogues.

Ainsi donc, le matin venu, elle oublia toutes ses résolutions de détachement et d'indifférence. James avait dit qu'il passerait la chercher vers midi et qu'ils pourraient peut-être manger un morceau au pub avant de chercher ce qu'il avait pu advenir de Miss Mabbs.

Mais elle décida de préparer un déjeuner aux chandelles. Si bien que quand il se présenta sur le pas de sa porte, il s'effaroucha en voyant Agatha, en corsage décolleté, jupe moulante et très hauts talons, qui le regardait d'un air radieux. Puis, dans l'entrée, il s'agita nerveusement quand elle lui indiqua la salle à manger en lui expliquant qu'elle avait pensé que c'était aussi bien qu'ils déjeunent chez elle.

Par la porte ouverte, il vit la table dressée avec un service en porcelaine, des verres en cristal et des bougies dans de fins chandeliers – des bougies en plein milieu de la journée !

La panique s'empara de lui. Il battit en retraite. « En fait, j'étais venu m'excuser, dit-il. Un imprévu. Je ne peux pas. » Puis il fit volte-face et s'enfuit.

Agatha entendit presque ses rêves s'écrouler autour d'elle, morceau par morceau. Rouge de honte, elle souffla les bougies, rangea la porcelaine, monta à l'étage, enleva son épaisse couche de maquillage et enfila une vieille robe confortable et informe, puis fourra ses pieds dans des pantoufles et se traîna en bas pour s'abrutir devant des séries télévisées à l'eau de rose en essayant de ne pas trop remâcher sa gaffe.

Comme elle n'avait presque pas dormi de la nuit, elle s'assoupit devant l'écran, avec les chats sur ses genoux, et se réveilla une heure plus tard en entendant la sonnette.

Elle espéra que c'était James – si seulement il pouvait revenir ! –, mais se retrouva face à Mrs. Bloxby.

« Je passais devant chez vous, dit l'épouse du

pasteur, et je me suis demandé si vous vous souveniez que les dames de Carsely se réunissaient ce soir. »

Une lueur déplaisante passa dans le regard d'Agatha. *Que les dames de Carsely aillent se faire foutre !* se dit-elle.

« J'espère sincèrement que vous viendrez. Mrs. Huntingdon, la nouvelle venue au village, sera là, ainsi que Miss Webster, qui tient la boutique de fleurs. Nous attendons pas mal de monde. Sans compter que Miss Simms apportera du cidre maison, alors je me suis dit que nous pourrions le boire avec du fromage et des biscuits. »

Agatha se rendit compte que sa visiteuse était toujours debout sur le seuil et l'invita à entrer.

« Non, il vaut mieux que je file. Mon mari est aux prises avec un sermon difficile. »

Alors voilà à quoi ma vie se résume dorénavant, pensa lugubrement Agatha : *une soirée de plus avec les dames de Carsely*. Même la présence annoncée de Mrs. Huntingdon ne suffit pas à lui donner l'énergie de quitter sa vieille robe.

Sur la route du presbytère, toutefois, elle se rappela que Josephine Webster, la femme de la boutique de fleurs séchées, la femme qui avait fait partie des admiratrices du vétérinaire, devait être là. Elle n'avait plus James Lacey, mais il lui restait toujours le plaisir de jouer les détectives amateurs.

Elle trouva le salon du presbytère rempli de femmes en train de bavarder. Mrs. Bloxby lui tendit une chope de cidre.

« Où est Miss Webster ? demanda-t-elle.

– Là, à côté du piano.

– Bien sûr, oui. »

Agatha l'étudia avec intérêt. C'était une femme soignée de sa personne, d'âge indéterminé, aux cheveux blonds, soignés, impeccablement permanentés, au petit visage soigné, à la fine silhouette soignée. Elle était en pleine conversation avec Freda Huntingdon, qui n'avait pas non plus pris la peine de bien s'habiller, remarqua Agatha. Elle ne voulait pas les interrompre. Elle but une autre gorgée de cidre et grimaça légèrement : il était vraiment très fort. « Comment avez-vous fait pour obtenir un truc aussi costaud ? » demanda-t-elle à Miss Simms qui se trouva être à côté d'elle.

L'autre eut un petit rire et lui chuchota à l'oreille : « Je vais vous confier un secret. Je me suis dit que j'allais le relever un peu. » De la main qui tenait sa propre chope, elle indiqua le tonneau posé sur une table. « Alors j'ai rajouté une bouteille de vodka.

– Vous allez toutes nous soûler !

– Oh, certaines d'entre nous ont besoin de se dérider. Regardez Mrs. Josephs. On dirait qu'elle va déjà mieux. J'ai cru qu'elle allait porter le deuil de son bon gros matou jusqu'à la fin de sa vie. »

Agatha alla s'asseoir à côté de Mrs. Josephs et lui dit poliment : « Contente de voir que vous avez l'air mieux.

– Oh ! beaucoup mieux, répondit la bibliothé-caire, un peu éméchée. Je tiens ma revanche.

– Vraiment ?

– Je vais récupérer ce qui m'appartient de droit. »

Agatha la fixa avec impatience. « Que voulez-vous dire ?

– Silence, mesdames ! cria Mrs. Mason. Notre réunion va commencer.

– À dix heures, demain, dit Mrs. Joseph à voix haute, je vous dirai tout sur Paul Bladen.

– Chut ! » gronda Mrs. Bloxby.

Agatha patienta fiévreusement tandis que la réu-nion traînait en longueur. Mais avant même la fin de la séance, Mrs. Josephs se leva brusquement et s'en alla. Avec un haussement d'épaules, Agatha s'approcha de Miss Webster.

« Je vous ai vue à l'enterrement de Paul Bladen.

– Je ne savais pas que vous étiez une de ses amies.

– Pas précisément une amie, mais j'ai voulu lui rendre un dernier hommage. Sa perte a dû beau-coup vous affecter.

– Au contraire. J'étais là pour m'assurer qu'il était vraiment mort. Maintenant, si vous voulez bien m'excuser, Miss… ?

– Mrs. Raisin.

– Mrs. Raisin. Il semblerait que toutes ces femmes qui jacassent me donnent la migraine. »

Sur quoi elle se leva et quitta la pièce. Aussi

éberluée qu'Alice au Pays des Merveilles, Agatha ne put s'empêcher de penser comme elle : *De plus en plus mieux !* Voilà qui était très intéressant : une allusion par-ci, une allusion par-là… N'en déplaise à James, elle passerait le voir demain avant de rendre visite à Mrs. Josephs.

La sonnette de James tinta à dix heures moins le quart le lendemain matin. Se faisant l'effet d'une vieille fille, il souleva légèrement le rideau de la pièce donnant sur la rue et jeta un œil dehors. Agatha Raisin ! Le sentiment bien connu d'être pourchassé s'empara de nouveau de lui. Il se retrancha dans la cuisine et attendit. La sonnette retentit encore et encore, puis, enfin, un silence bienheureux se fit.

Alors qu'Agatha traversait le village d'un pas lourd, l'air bougon, une voiture s'arrêta en douceur à sa hauteur, et le visage joyeux de Bill Wong apparut à la vitre.

« Qu'est-ce qu'il y a, Agatha ? Où est passé James ?

– Il n'y a rien, et quant à savoir où est James Lacey, c'est le cadet de mes soucis.

– Ce qui veut dire que vous l'avez encore fait fuir, répondit le sergent d'un ton enjoué.

– Je n'ai rien fait de la sorte et, pour votre information, je suis en chemin pour aller voir Mrs. Josephs, la bibliothécaire. Elle a une révélation à me faire concernant la mort de Paul Bladen. »

Bill poussa un petit soupir, puis déclara : « Agatha, quand il y a vraiment un meurtre, tout un tas de rumeurs déplaisantes qui n'ont rien à voir avec l'affaire se mettent à circuler. Ça fait du mal à des tas de gens. Et si vous vous obstinez à fureter dans un village anglais en essayant de faire passer un accident pour un assassinat, vous obtiendrez le même résultat, et ça, sans aucune justification. Laissez tomber. Consacrez-vous à des bonnes œuvres. Repartez à l'étranger. Laissez Paul Bladen reposer en paix. »

Il s'éloigna.

Enfin, maintenant, autant y aller, se dit Agatha avec entêtement. *Elle doit m'attendre.*

Mrs. Josephs habitait une maison très bien tenue, tout au bout d'une rangée d'anciens cottages ouvriers. Dans son minuscule jardin, un forsythia se répandait par-dessus la haie jusque sur la route dans une débauche de splendeur dorée. Un merle chantait sur le toit. Dans un champ, au-dessus du village, retentit le son d'un cor de chasse, et lorsqu'elle se tourna pour scruter la colline, Agatha aperçut l'équipage qui déferlait à travers une prairie ; de l'endroit où elle se trouvait, la perspective paraissait étrangement fausse.

Si lord Pendlebury participait à cette chasse, elle espérait qu'il se briserait la nuque ! C'est avec cette pieuse pensée qu'elle poussa le petit portail en fer forgé, marcha jusqu'à l'entrée et appuya sur la sonnette. Pas de réponse. Le bruit de la chasse à courre s'évanouit dans le lointain. Un geai hurla tout là-haut, déchirant le pâle ciel printanier de son cri strident.

Elle fit une nouvelle tentative, presque au bord des larmes, se demandant lugubrement si tous les habitants de Carsely allaient se cacher derrière leur canapé quand ils la voyaient arriver.

Mais Mrs. Josephs lui avait demandé de venir ! Mrs. Josephs n'avait pas le droit de la snober ! Agatha tourna la poignée de la porte. Elle s'ouvrit facilement sur une petite entrée d'où partait directement un escalier étroit.

« Mrs. Josephs ! » appela Agatha.

Entre les murs épais de la petite maison, le silence se referma sur elle. Elle jeta un coup d'œil dans les pièces du rez-de-chaussée : petit salon, petite salle à manger et minuscule cuisine pas plus grande qu'un box à l'arrière du cottage.

Debout en bas de l'escalier, elle hésita, sautillant d'un pied sur l'autre.

Que cet escalier peu éclairé avait l'air sinistre ! Peut-être Mrs. Josephs était-elle malade. Enhardie par cette pensée, Agatha monta les marches. Chambre sur la droite, lit fait, tout bien rangé. Débarras rempli de pitoyables bibelots de porcelaine, de vieux meubles et de valises poussiéreuses. Pas de drame ici.

Tant que j'y suis, je vais en profiter pour aller aux toilettes, songea-t-elle. *Ah, je sais ! Elle voulait sans doute que je la retrouve à la bibliothèque. Quelle idiote je fais ! Mais quelle folie, aussi, de sortir de chez soi sans fermer la porte à clé ! Voilà, ça doit être la salle de bains.*

Elle poussa une porte garnie d'un panneau de verre dépoli.

Étendue sur le sol de la salle de bains, Mrs. Josephs fixait le plafond d'un regard aveugle. Agatha laissa échapper un gémissement. Elle se fit violence pour se pencher sur la bibliothécaire, lui prendre le bras et tâter son pouls. Rien.

Elle se précipita en bas à la recherche d'un téléphone. Elle en trouva un dans le salon, puis appela la police et les secours.

Le premier sur les lieux fut Fred Griggs, l'agent de police du village. Il ressemblait d'ailleurs aux agents de police des livres pour enfants, gros et rougeauds.

« Elle est morte, annonça Agatha. Là-haut. Salle de bains. »

Elle suivit la silhouette massive du policier dans les escaliers. Fred regarda tristement le corps étendu par terre.

« Vous avez raison, dit-il. Y a qu'à la regarder pour savoir. Mrs. Josephs était diabétique.

– Ce n'est donc pas un meurtre.

– Voyons, qu'est-ce qui vous a mis cette idée dans la tête ? demanda-t-il en la fixant d'un regard pénétrant.

– Elle a déclaré hier soir, devant toute l'assemblée

de la Société des dames de Carsely, qu'elle avait quelque chose à me dire sur Paul Bladen.

– Le véto qu'est mort ? Qu'est-ce que ça a à voir avec le décès de la pauvre Mrs. Josephs ?

– Rien, marmonna Agatha. Je crois que je vais attendre dehors. »

En ressortant dans le jardin, elle entendit des hurlements de sirène ; puis une ambulance arriva en trombe, suivie de deux voitures de police. Elle reconnut l'inspecteur-chef Wilkes et Bill Wong. Deux enquêteurs qu'elle n'avait jamais vus les accompagnaient, ainsi qu'une policière.

Bill demanda : « C'est vous qui l'avez trouvée ? »

Elle hocha la tête, l'air hébété.

« À quelle heure ?

– Dix heures. Je vous ai dit que j'allais la voir.

– Rentrez chez vous. Nous passerons prendre votre déposition. »

James Lacey se tenait debout sur le pas de sa porte, scrutant la ruelle. Il avait entendu les sirènes. Depuis la minute où il n'avait pas ouvert la porte à Agatha, il était resté devant son ordinateur, le regard rivé sur les mots « Chapitre 2 ». Il la vit enfin descendre la ruelle en traînant les pieds. Elle était blême.

« Qu'est-ce qui s'est passé ? » cria-t-il.

Mais elle repoussa sa question d'un geste de la main et répondit : « Plus tard. »

Quelle frustration ! Il sentait que seule Agatha

pouvait lui fournir un prétexte pour le détourner de son travail d'écriture pour la journée. Il n'aurait jamais dû fuir son déjeuner aux chandelles comme un collégien.

Retourné auprès de sa machine, il fixa furieusement l'écran. Il entendit alors une voiture s'engager dans Lilac Lane et se rua à nouveau dehors. La police. Dévoré par la curiosité, il regarda le véhicule avancer jusque chez Agatha, puis s'arrêter. Il reconnut Bill Wong, accompagné d'un autre enquêteur et d'une femme en uniforme. Les trois policiers entrèrent dans le cottage.

Il l'avait bien cherché, se dit-il sombrement. Cette fichue Raisin était sur une piste, et il était exclu de sa découverte.

Agatha répondit à toutes les questions qui lui furent posées. Combien de temps avait-elle passé dans le cottage de Mrs. Josephs ? Quelques petites minutes ? Quelqu'un l'avait-il vue juste avant qu'elle arrive ? Le sergent Wong. L'inspecteur-chef hocha la tête, comme si Bill lui avait déjà communiqué cette information.

« De quoi est-elle morte ? demanda Agatha.

– Il faut attendre le rapport d'autopsie, répondit Wilkes. Bien, d'après ce que je comprends, c'est hier soir au presbytère que vous êtes convenues de vous rencontrer. Que vous a-t-elle dit au juste ? »

Agatha répondit prestement : « "À dix heures,

demain, je vous dirai tout sur Paul Bladen." Voilà ce qu'elle a dit.

— Rien d'autre ?

— Voyons… Je crois que je lui ai fait la remarque qu'elle avait l'air mieux, et elle a répondu quelque chose d'étrange. Elle a dit : "Je tiens ma revanche."

— Vous en êtes certaine ?

— Absolument. Elle a ajouté… » Plissant les yeux, Agatha fouilla dans sa mémoire. « Elle a ajouté : "Je vais récupérer ce qui m'appartient de droit."

— En effet, fit Wilkes. Très énigmatique. On se croirait dans un roman.

— Je n'invente rien, protesta sèchement Agatha. J'ai une excellente mémoire.

— Bien, donc Mrs. Josephs a dit : "À dix heures, demain", et vous, vous êtes allée chez elle. Mais ne croyez-vous pas qu'elle attendait que vous lui téléphoniez ?

— Non, entre gens du village, nous n'utilisons guère le téléphone pour nous parler. Nous nous rendons visite.

— Mrs. Josephs devait assurer une permanence à la bibliothèque. Pourquoi ne pas être allée là-bas ?

— Parce que je n'ai pas *réfléchi* ! hurla Agatha, exaspérée. Qu'est-ce que c'est que ces questions, nom de D… Bon sang de bonsoir ! Elle est décédée de mort naturelle, non ?

— C'est curieux que vous soyez de cet avis, alors que, si j'en crois le sergent Bill Wong, vous êtes réellement disposée à croire que Paul Bladen a été assassiné. »

Agatha lança un regard de reproche à Bill.

« La mort de Paul Bladen m'intriguait, et je n'ai fait que poser quelques questions, répondit-elle, sur la défensive.

– Qui étaient les participantes à cette petite réunion pour le thé, hier soir ?

– Ce n'était pas pour le thé. Cidre et fromage. Je peux vous citer la plupart des noms, mais si vous demandez à Miss Simms, la secrétaire, elle note toutes les personnes qui assistent aux séances.

– Ce sera tout pour le moment, Mrs. Raisin, conclut Wilkes en se levant. Nous aurons sans doute à vous reparler. Vous ne songez pas à partir en voyage, hein ?

– Comment ? » Agatha le regarda fixement. « Moi ? Ne pas partir… Vous pensez qu'il s'agit d'un meurtre !

– Allons, allons, Mrs. Raisin, pour l'instant, nous enquêtons seulement sur les causes de la mort d'une personne diabétique. Je vous souhaite une bonne journée. »

Bill fit un clin d'œil à Agatha dans le dos de son supérieur et articula silencieusement : « À ce soir. »

Une fois seule, elle décida d'aller une fois de plus sonner chez James. Au diable les rêves d'amour ! Ce qui venait de se passer était trop excitant pour qu'elle le garde pour elle. Mais James ne vint pas ouvrir, et elle se consola un peu en voyant que sa voiture n'était pas là.

James était parti à Mircester. Pour se raccommoder avec Agatha, il avait envisagé de lui offrir des fleurs ou des chocolats, puis une meilleure idée lui était venue : découvrir l'adresse de Miss Mabbs lui fournirait le prétexte idéal pour rendre visite à sa voisine.

Agatha se rendit au Red Lion, où elle discuta avec enthousiasme du décès de Mrs. Josephs avec les gens du coin, sans toutefois apprendre rien de nouveau. Elle rentra chez elle plutôt pompette, s'endormit et ne se réveilla qu'à cinq heures de l'après-midi, au moment où on sonnait à sa porte.

Le regard trouble et en proie à la gueule de bois, elle alla ouvrir. C'était Bill Wong.

« Entrez ! Entrez ! fit-elle. Racontez-moi tout, mais d'abord, laissez-moi prendre une tasse de café bien noir. J'ai trop bu au pub.

– Comment est-ce que vous avez fait fuir James Lacey ? demanda Bill en la suivant tranquillement dans la cuisine.

– Je ne l'ai pas... Oh ! eh bien, voilà : je l'ai invité à déjeuner hier, j'ai allumé des bougies et j'ai sorti le décolleté. Il a détalé comme un lapin. »

La sonnette retentit.

« J'y vais », dit Bill.

Il revint quelques secondes plus tard, suivi de James.

« Ne parlez pas trop fort, conseilla-t-il, notre

Agatha a la gueule de bois. Elle a noyé son chagrin au pub. Elle s'était tout endimanchée, hier, parce qu'elle attendait un de ses anciens béguins de Londres à déjeuner, et il n'est jamais venu. En plus, elle avait oublié votre visite, mais de toute façon, vous avez filé.

– Oh ! Heureusement que je ne suis pas vaniteux, sans quoi j'aurais pu croire que tout ça m'était destiné. »

Bill sourit joyeusement. « Notre Agatha a d'autres chats à fouetter, n'est-ce pas, Agatha ? Au fait, pourquoi votre béguin ne s'est-il pas montré ? »

Oh, mais, je sais mentir aussi bien que vous ! pensa-t-elle. « Sa société était menacée de fusion. Enfin, il va m'emmener dîner au Savoy pour se faire pardonner. »

James se sentait stupide. *Il faut vraiment que j'arrête de penser que cette femme a des vues sur moi*, se dit-il.

« Alors, fit Agatha en leur servant leur café, racontez-nous tout, Bill. Pourquoi est-ce que je n'ai pas le droit de quitter le pays ?

– Mais de quoi s'agit-il, voyons ? s'écria James avec exaspération. C'est à propos de la mort de la bibliothécaire, c'est ça ? On ne parle que de ça chez Harvey. »

Agatha lui raconta comment elle avait prévu de rendre visite à Mrs. Josephs et comment, ce faisant, elle l'avait trouvée morte.

« À vous maintenant, Bill. Est-ce que c'est un meurtre ?

– On attend le rapport d'autopsie. Mais entre nous, je veux bien vous le dire : il y a quelque chose de bizarre.

– Comme ?

– L'équipe de la scientifique a trouvé des éraflures dans l'escalier, sur toute la distance qui sépare le salon de la salle de bains. Mrs. Josephs portait des chaussures de marche en cuir marron. Il n'y a pas de moquette dans l'escalier. Certaines éraflures ont pu être causées par les chaussures. Elle portait aussi des collants très épais, or on a retrouvé des fibres de ces collants dans une fissure du bois. »

Les yeux d'Agatha étincelèrent.

« Vous voulez dire que quelqu'un l'a peut-être tuée dans le salon avant de la traîner à l'étage et de la balancer dans la salle de bains ?

– Je ne comprends pas, fit James. Si quelqu'un l'a tuée, pourquoi s'est-il donné la peine de transporter le corps jusque dans la salle de bains ?

– Ce ne sont que des hypothèses. Je m'avance beaucoup, là, alors je vous défends à tous les deux d'en dire un traître mot à qui que ce soit. »

Agatha et James hochèrent la tête en chœur, tels les chiens qu'on pose sur les plages arrière des voitures.

« Tout le monde avait l'air au courant qu'elle était diabétique et qu'elle se faisait des piqûres d'insuline, reprit Bill. Peut-être que quelqu'un lui a injecté un produit mortel, avant de la traîner dans la salle de bains, où elle rangeait ses seringues, et de la laisser là dans l'espoir qu'on penserait qu'elle était morte en se faisant une de ses piqûres habituelles ? »

James fit non de la tête, ce qui eut le don d'irriter Agatha.

« Ça ne me plaît toujours pas. Tout le monde sait que la scientifique accomplit des miracles, de nos jours.

— Mais les meurtriers sont en général des individus dérangés et prêts à tout, dit Bill. Vous seriez stupéfait de voir combien ils réfléchissent peu.

— Est-ce que les voisins ont vu quelqu'un se rendre chez elle ? demanda James.

— Non. Par contre, il y a un chemin qui passe derrière les cottages, au bout des jardins. Mrs. Dunstable, à l'autre extrémité de la rue, dit qu'elle croit avoir entendu une voiture s'arrêter au début du chemin – il n'est pas carrossable – vers huit heures du matin. Mais elle est sourde ! Elle affirme qu'elle a senti les *vibrations* d'une voiture, vous vous rendez compte !

— Ce serait curieux si on s'apercevait qu'il s'agit d'un meurtre, déclara James avec lenteur. Après ce qu'elle avait déclaré à Agatha devant toutes ces femmes, ça pourrait jeter un doute sur la mort de Paul Bladen.

— Elle s'est peut-être suicidée, fit remarquer

le sergent. Tout le monde disait qu'elle était très déprimée depuis la mort de son chat. Elle a peut-être fait les éraflures elle-même en se traînant à l'étage. Enfin, voilà les nouvelles. Il faut que j'y retourne. Merci pour le café, Agatha. »

Après le départ de Bill, Agatha retourna s'asseoir devant la table basse et ferma les yeux.

« Vous voulez que je m'en aille ? demanda James.

– Non, je réfléchis. Si j'avais assassiné Mrs. Josephs en lui injectant un produit, je n'aurais pas laissé ce produit mortel au milieu de ses médicaments dans la salle de bains. Voyons… Je ne suis pas un assassin très intelligent. Pensez aux éraflures. Alors je retourne à ma voiture avec le flacon, ou l'ampoule, que j'ai utilisé dans ma poche. Je transpire, je panique… » Elle ouvrit les yeux. « Voilà : j'aurais balancé le produit par la vitre de ma voiture.

– C'est une idée. La route qui passe au bout du chemin remonte chez lord Pendlebury. Il n'y a pas de mal à aller jeter un coup d'œil, je suppose. Nous allons emporter des sacs-poubelle, comme ça on nous prendra pour des bénévoles du village venus nettoyer la campagne. Mais si vous trouvez quelque chose de louche, laissez-le sur place et appelez la police, sinon ils pourraient penser que c'est vous qui l'y avez mis. »

Ils prirent la voiture d'Agatha. Elle roula jusqu'au chemin qui passait derrière la maison de

Mrs. Josephs et resta là un moment, en laissant tourner le moteur et en imaginant qu'elle venait de commettre un meurtre. Puis elle remonta la colline, avant de s'arrêter brusquement.

« Pourquoi ici ? demanda James.

– Parce que c'est ici que je balancerais le flacon si j'étais un meurtrier. »

Ils se mirent à inspecter le bas-côté de la route, sur la droite, où atterrirait forcément ce qu'un automobiliste jetterait par la vitre de sa voiture. Les habitants des Cotswolds étant, fort heureusement, très sensibles au problème des détritus, au bout d'une heure de recherches, ils n'avaient pas trouvé grand-chose d'autre qu'un vieux stylo-plume cassé et une sandale.

« Le jour baisse et j'ai faim, se plaignit James.

– Essayons un peu plus haut, plus près du domaine, supplia Agatha. Juste un tout petit peu !

– Zut alors ! Il y a quelques jours, j'ai promis à Freda Huntingdon d'aller boire un verre avec elle au Red Lion. En plus, il commence à faire noir.

– J'ai une lampe de poche dans la voiture », répondit Agatha, à présent bien déterminée à le retenir le plus longtemps possible.

« Bon, d'accord, mais vraiment pas longtemps. »

Ils remontèrent en voiture et en redescendirent un peu plus loin. Agatha utilisa la lampe de poche tandis que James sondait désormais la haie avec nonchalance.

Quand, après une demi-heure de patientes

recherches et allées et venues, Agatha s'écria :
« *Eurêka !* », James répondit avec mauvaise
humeur : « Quoi, encore une chaussure ou un truc
du genre ? Freda va…

– Venez ! Regardez ça ! »

Il la rejoignit d'un pas lourd. Elle braqua la
lampe sur un enchevêtrement d'arbustes et d'orties
dans le fossé. Tout au fond reposait un petit flacon
de pharmacie marron.

« Pas possible ! » s'exclama-t-il en la serrant
dans ses bras.

Bien contente qu'il fasse noir, Agatha rougit de
plaisir.

« Attendez ici et montez la garde ! fit-elle avec
excitation. Je m'en vais téléphoner à Bill Wong. »

James attendit, attendit encore. Il consulta sa
montre et remarqua, grâce au cadran lumineux,
qu'il serait bientôt huit heures. Puis il pensa : *Ce
n'est pas vraiment la peine que je reste ici.* Alors il
prit un bâton, qu'il avait arraché plus tôt à la haie
pour l'aider dans ses fouilles, le planta dans le fossé
à côté du flacon et noua son mouchoir à l'extrémité
à la manière d'un drapeau. Maintenant, il pouvait
sans aucun risque se rendre au pub : Agatha et la
police n'auraient aucun mal à trouver son repère.
Il s'en alla à grandes enjambées.

Agatha attendait sur le pas de sa porte en se
rongeant les ongles. Bill lui avait ordonné : « Ne
bougez pas », et c'était ce qu'elle avait fait. Mais
James devait se demander ce qui se passait.

Avec un soupir de soulagement, elle aperçut le véhicule de police qui s'engageait lentement dans la ruelle et courut à sa rencontre. Bill était à bord avec un de ses collègues. « Montez, dit-il, et conduisez-nous à ce fameux indice que vous avez trouvé. On n'a pas pu entrer en contact avec Fred Griggs. C'est son soir de repos. »

Agatha n'en revint pas de ne trouver aucun signe de James sur la route remontant la colline. Pire, comme elle était incapable de se souvenir précisément de l'endroit où ils avaient trouvé le flacon, ils durent ratisser longuement le bas-côté avant que Bill finisse par trouver le bâton au bout duquel était noué le mouchoir.

« Au moins, il a marqué l'emplacement », dit le sergent en s'accroupissant. Il braqua une puissante lampe torche à côté du bâton. « On dirait qu'il n'y a rien ici, Agatha. »

Elle se pencha par-dessus son épaule et scruta le fond du fossé. « Mais c'était là ! s'écria-t-elle. Oh ! où est passé James ? Si jamais il est tranquillement descendu au pub pour retrouver cette traînée, je le tue ! »

Les deux policiers continuèrent à chercher lentement, soigneusement, mais il n'y avait aucune trace du flacon.

Au bout d'un moment, Bill se redressa en soupirant. « Vous pensez que Lacey est au pub ?

– Oh, j'en suis tout à fait certaine », répondit-elle, l'air féroce.

141

Il y avait foule au Red Lion ce soir-là. Tous les gens du village semblaient s'être entassés dans le pub. Quelle ne fut pas la surprise de James quand il reçut une tape sur l'épaule et qu'une voix murmura derrière lui : « Police. Si vous voulez bien me suivre, Mr. Lacey ».

Il suivit l'inconnu dehors et sursauta d'un air coupable quand il se retrouva face à un Bill Wong anormalement sérieux et à une Agatha menaçante.

« Je n'aurais pas dû partir, certes, s'empressa-t-il de dire, mais vous n'avez pas trouvé le bâton avec un mouchoir noué au bout ?

– Oh, si, nous l'avons trouvé, mais pas le flacon, répondit Bill. À quelle heure êtes-vous arrivé au pub ?

– Juste après huit heures. J'avais rendez-vous avec Freda… Mrs. Huntingdon.

– Est-ce que vous avez révélé votre découverte à Mrs. Huntingdon ou à toute autre personne présente au Red Lion ?

– Eh bien… », fit James en se balançant d'un pied sur l'autre, gêné.

Le policier qui l'avait sommé de sortir était retourné dans la salle, et il en ressortit à temps pour entendre la dernière question de Bill. « Est-ce que je peux vous dire un mot, sergent ? » demanda-t-il en emmenant Bill à l'écart.

James Lacey fixait le sol.

Bill revint vers lui et le regarda.

« Bien, je crois comprendre que vous avez

déclaré à Mrs. Huntingdon que vous et Mrs. Raisin aviez trouvé un indice concernant la mort de Mrs. Josephs, qu'il y avait un flacon de pharmacie dans le fossé et que vous aviez laissé votre mouchoir en guise de drapeau pour marquer l'emplacement. Mrs. Huntingdon se serait alors exclamée, en s'adressant à un groupe d'habitués : "Nous avons un détective parmi nous ! Qu'il est astucieux, ce James !" Et elle leur aurait parlé du flacon.

– Écoutez, répondit James, au désespoir, je ne suis pas policier ! J'ai pris tout ça comme une sorte de jeu. Mais je me suis peut-être trompé d'emplacement. Retournons jeter un coup d'œil !

– Dépêchez-vous, alors ! fit Bill. J'y avais déjà pensé, et j'ai envoyé chercher des renforts. »

Sans un mot pour James, Agatha monta à l'arrière de la voiture du sergent tandis que James suivait docilement un agent dans un autre véhicule.

Lorsqu'ils arrivèrent, les abords de la route grouillaient de policiers qui passaient inlassablement les haies au peigne fin.

Au bout d'un moment, un cri de triomphe retentit. Un policier, accroupi à quelques mètres de l'endroit marqué par James, leur fit signe de venir, tout excité. Puis, quand il écarta de longues herbes, ils découvrirent un petit flacon de pharmacie.

L'objet fut délicatement soulevé au moyen d'une petite pince, avant d'être déposé sur un morceau de tissu propre et montré à Agatha.

« Je suis sûre qu'il n'a pas la même forme. En

plus, celui-là n'a pas d'étiquette. Je suis sûre qu'il y avait un morceau d'étiquette sur celui que j'ai vu.

– Autant rentrer chez vous, Mrs. Raisin, fit Bill. Nous passerons vous voir quand nous aurons besoin de vous.

– Je suis terriblement navré…, commença James d'un air malheureux.

– Vous aussi, Mr. Lacey. Nous vous contacterons. » James fit face à Agatha.

« Vous devez penser que je suis le dernier des idiots. »

Elle s'apprêtait à répondre que oui, elle pensait qu'il était idiot, mais alors un souvenir très net lui revint en mémoire : elle se rappela comment il l'avait aidée à se tirer du mauvais pas où sa propre stupidité l'avait entraînée, dans les toilettes du pub de Mircester. Alors elle se contenta de proposer : « Rentrons chez moi à pied pour prendre un café et réfléchir à cette histoire. »

Ils se mirent à marcher côte à côte. « Je ne peux pas m'empêcher de penser, reprit-elle, que l'assassin a peut-être entendu Freda quand il, ou elle, était au pub. Alors que fait-il ? Hop ! il déguerpit, monte jusqu'ici, prend le flacon, se cache à proximité, voit la police arriver, attend qu'elle reparte au pub pour vous interroger, puis il, ou elle, place un autre flacon dans le fossé, qui se révélera avoir contenu une substance inoffensive.

– Mais un assassin intelligent n'aurait pas jeté le

flacon dans le fossé, pour commencer ! » protesta James.

Ils poursuivirent leur chemin en silence, absorbés dans leurs pensées.

Une fois devant une tasse de café, Agatha, qui était restée silencieuse pendant une durée anormalement longue pour elle, s'exclama : « Je sais !

– Quoi ?

– Les assassins intelligents, ça ne se trouve que dans les romans. Pour tuer quelqu'un, il faut être fou, au moins temporairement. Imaginons qu'une femme, je ne sais pas qui, ait été au courant que Paul allait chez lord Pendlebury ce jour-là. Folle de rage, elle lui flanque un coup sur la tête, puis elle lui enfonce la seringue dans le corps sans même savoir qu'elle contient un produit mortel. Il meurt. Elle s'enfuit. Maintenant qu'elle a commis un meurtre, elle est vraiment dérangée, et elle a affreusement peur. Elle entend par hasard Mrs. Josephs me parler au presbytère. Elle a le sentiment qu'il faut la faire taire, or elle sait qu'elle est diabétique. Elle lui fait une piqûre de Dieu sait quoi, panique à nouveau, elle se dit que si on retrouve le corps dans la salle de bains, on croira à une mort naturelle. Et ça recommence : alors qu'elle est au pub, elle entend Freda. Nouvelle crise de panique. Il faut faire disparaître le flacon ! Nouvelle crise de panique. Il faut en mettre un autre à la place ! »

Ils parlèrent encore pendant une heure, écrivant la liste de toutes les femmes qui avaient assisté à la réunion du presbytère et de toutes celles que James se rappelait avoir vues au pub. Puis le téléphone sonna. Agatha alla répondre, avant de revenir s'asseoir à la cuisine, tout à coup très lasse.

« C'était Bill. Mrs. Josephs a bien été assassinée. Quelqu'un lui a injecté une forte dose d'adrénaline dans le sang.

— Mais où cette personne se serait-elle procuré de l'adrénaline ?

— Au début, j'ai soupçonné Peter Rice, parce que les vétérinaires en utilisent, mais il n'était pas du tout dans les environs du village. Bill a dit que les fermiers en ont généralement en réserve, mais leurs armoires à pharmacie sont régulièrement inspectées pour s'assurer qu'elles sont bien verrouillées.

— Miss Mabbs ! s'écria James.

— Oui, eh bien ?

— C'est pour ça que j'étais venu vous voir tout à l'heure. J'ai trouvé son adresse. Elle habite à Royal Leamington Spa.

— Attendez un peu. Elle n'était pas au presbytère, et ne me dites pas qu'elle était au pub ce soir !

— Non, mais elle rôdait peut-être dans les parages. Quoi qu'il en soit, elle en sait forcément plus sur Paul Bladen que la plupart des gens. Elle a travaillé avec lui. »

Agatha prit une résolution.

« Nous irons la voir demain. »

6

Agatha et James ne purent se mettre en route pour Royal Leamington Spa que tard le lendemain, car un nouveau drame avait frappé Carsely : on avait pénétré par effraction dans le cabinet vétérinaire et éventré l'armoire à pharmacie. Un travail soigné et efficace. Le voleur avait brisé un panneau vitré de la porte de derrière, de façon à pouvoir passer le bras et tourner le verrou.

« C'est sans doute de là que venait l'adrénaline, expliqua Bill Wong, harassé. Sauf que l'agent Griggs affirme qu'il n'a pas arrêté de surveiller les lieux au cours de ses rondes, et qu'il n'y avait aucune trace d'effraction jusqu'à hier soir.

– Il n'avait probablement pas remarqué que la vitre était cassée, dit James.

– Fred Griggs est un flic consciencieux.

– Alors vous pensez qu'on a voulu amener la police à supposer que l'adrénaline venait de là ? demanda Agatha.

– Ça se pourrait. Mais que de complications

inutiles ! Et puis, ça jette le doute sur le décès de Paul Bladen. Nous ne voyons pas qui aurait pu vouloir la mort de Mrs. Josephs. »

Les dépositions de James et d'Agatha concernant la découverte du flacon furent ensuite méticuleusement recueillies.

« L'analyse de celui qu'on a retrouvé montre qu'il contient des traces de tranquillisants. On s'est renseigné auprès du médecin du coin : vous seriez stupéfaits de connaître le nombre de femmes sous tranquillisants à l'époque éclairée qu'est la nôtre ! Maintenant, j'ai quelque chose à vous dire, à tous les deux. Par moments, le travail de la police peut paraître lent et laborieux, mais c'est quand même moins dangereux de la laisser faire que d'aller jouer les détectives en semant la zizanie partout. S'il vous plaît, ne vous mêlez plus de ce qui ne vous regarde pas.

– Si on ne s'était pas mêlés de ce qui ne nous regardait pas, comme vous dites, protesta Agatha avec véhémence, vous auriez continué à penser que la mort de Paul Bladen était accidentelle !

– Et Mrs. Josephs serait peut-être encore en vie. Laissez-nous faire, Agatha. »

Après le départ des enquêteurs, James déclara avec réticence : « On dirait que nous ne sommes pas franchement populaires.

– Oui, je suppose qu'on ferait mieux de laisser tomber, répondit Agatha du bout des lèvres.

Je devrais peut-être songer à m'occuper de mon jardin.

– Votre pelouse devant la maison aurait bien besoin d'un traitement. Venez, je vais vous montrer ce que je veux dire. »

Elle sortit la première. En jetant un coup d'œil dans la ruelle, elle aperçut Freda Huntingdon debout devant le cottage voisin, et battit en retraite si rapidement qu'elle heurta James.

« J'ai changé d'avis, annonça-t-elle en claquant la porte, avant de le reconduire à la cuisine. Prenez une autre tasse de café, je vais vous expliquer.

« Bien, commença-t-elle lorsqu'ils furent assis. Voici comment je vois les choses. »

À cet instant, la sonnette retentit, d'un coup bref et péremptoire.

« Vous n'allez pas ouvrir ? demanda James.

– Oh, je suppose que si. »

Elle se leva à contrecœur. Regarda par le judas. Freda se tenait sur le pas de sa porte. Elle retourna à la cuisine et s'assit.

« Un représentant en doubles vitrages, dit-elle. Impossible de se débarrasser de ces gens-là. Pas la peine d'aller ouvrir. »

Un nouveau coup de sonnette strident la fit grimacer.

« J'y vais, fit James en se levant.

– Non, asseyez-vous, s'il vous plaît ! Je pense qu'on devrait aller interroger Miss Mabbs à Leamington Spa. Ce n'est pas se mêler de ce qui ne nous regarde pas, si ? Quelques petites questions de rien du tout. Si on en savait plus sur la personnalité de Paul Bladen, on comprendrait peut-être ce qui se cache derrière sa mort. Après tout, qu'est-ce qui peut pousser quelqu'un à tuer ?

– La passion. Une de ses petites amies qu'il a plaquée.

– Ou l'argent », suggéra Agatha en repensant à son expérience malheureuse à Londres.

Mais James, à l'abri du besoin grâce à sa fortune personnelle et à sa pension de militaire, n'était pas de cet avis. « Il ne laissait pas un gros héritage, en tout cas pas selon les critères actuels. »

Nouveau coup de sonnette.

« Non ! s'exclama Agatha. Attendez, je vous dis, la personne qui sonne finira bien par partir. Où donc à Royal Leamington Miss Mabbs habite-t-elle ? »

James feuilleta son carnet. « Ah, voilà : Miss Cheryl Mabbs, vingt-trois ans, employée du cabinet vétérinaire pendant la courte période où il est resté ouvert à Carsely, résidant au 43, Blackbird Street, Royal Leamington Spa. »

En tendant l'oreille, Agatha n'entendait aucun bruit dehors, mais il faut dire que le cottage était tellement bien isolé que c'était souvent le cas. « Je monte me maquiller un peu, dit-elle. Ensuite on se mettra en route. Si on resonne à la porte, faites comme si vous n'entendiez pas. »

À l'étage, elle regarda attentivement par la fenêtre

de sa chambre et vit avec satisfaction la mince silhouette de Freda s'éloigner.

Elle se maquilla, pas trop pour ne pas risquer
d'effaroucher James une fois de plus, se vaporisa
un peu de Rive Gauche, puis redescendit. Elle
donna à manger aux chats et, comme il ne faisait
pas particulièrement froid ce jour-là, les laissa sortir dans le jardin de derrière.

« Pourquoi est-ce que vous ne mettez pas une
chatière ? demanda James.

– J'ai eu quelques frayeurs par le passé, répondit-
elle, alors chaque fois que je pense à une chatière,
je vois un petit cambrioleur qui se faufile dedans
en se tortillant comme un serpent.

– Mais non, ça n'arrive jamais, ça ! J'ai une
idée », commença James, qui sentait confusément
qu'il devait se racheter pour avoir déserté son
poste la veille au soir, « vous en achetez une, je
vous l'installerai. »

Elle le regarda avec un sourire épanoui. Comme
leurs relations prenaient un tour conjugal ! Un
mariage en toute simplicité à l'église de Carsely.
Elle était trop vieille pour porter du blanc. Tailleur
en soie et joli chapeau, pourquoi pas ? Lune de
miel dans un lieu exotique. « La célèbre détective
Agatha Raisin se marie », titreraient les journaux
locaux.

James l'observa avec inquiétude : un voile étrange
était apparu sur les petits yeux de sa voisine.

« Vous vous sentez bien ? demanda-t-il. Vous

avez la tête que j'ai l'impression de faire quand j'ai une indigestion.

– Je vais bien, répondit-elle, brutalement redescendue de son nuage. Allons-y. »

Leamington, ou plutôt Royal Leamington Spa, pour l'appeler par son nom complet, auquel peu de gens ont recours, n'était pas très éloigné, et ils y arrivèrent en moins d'une heure.

Le temps s'était couvert, mais il faisait inhabituellement doux. Bien qu'on fût dans le centre de l'Angleterre, Agatha trouva que la ville avait des airs de station balnéaire, comme Eastbourne ou Brighton, et s'attendait à tomber sur la mer à chaque coin de rue.

James, à son grand agacement, déclara qu'il voulait visiter le jardin public avant de s'attaquer à l'enquête. Elle marcha donc à ses côtés, le pas lourd et furieux, en l'écoutant s'extasier sur les plantes et les fleurs. Elle avait obscurément conscience qu'elle était jalouse du paysage et qu'elle aurait aimé être l'objet de certains de ses transports. Elle lui jeta un coup d'œil oblique. Il avançait nonchalamment, les mains dans les poches, l'esprit libre de toute préoccupation. Elle se demanda ce qu'il pensait d'elle. Elle se demanda ce qu'il pensait tout court. Pourquoi n'était-il pas marié ? Était-il homosexuel ? Mais dans ce cas, pourquoi aurait-il abandonné un si magnifique indice pour courir après cette imbécile, cette salope de Freda Huntingdon ?

Il admirait, frappé d'émerveillement, les cascades de fleurs d'un cerisier, quand elle demanda d'un ton brusque : « Bon, on va rester là à communier avec la nature toute la journée, ou alors on se met au boulot ? » Il lui lança un regard mi-contrit, mi-amusé, et alors, tout à coup, elle eut une vision de lui escortant une femme qui partagerait son enthousiasme pour les paysages et connaîtrait tous les noms de comtés qu'il avait cités à ce vieux manoir où ils avaient pris le thé, et elle se fit l'effet d'une petite brute mal dégrossie.

« D'accord, répondit-il d'un air aimable, allons-y. » Il sortit un petit plan de la ville et le consulta. « On peut y aller à pied, ce n'est pas loin. »

Ils se mirent en chemin.

« Où est-ce qu'elle travaille ? demanda Agatha. Oh ! Et où est-ce que vous avez obtenu ces renseignements ?

– Je ne sais pas où elle travaille, mais j'ai eu son adresse par Peter Rice, à Mircester. Elle n'est pas auxiliaire vétérinaire, juste un genre de réceptionniste. »

Au bout d'un moment, Agatha commença à se demander s'ils arriveraient un jour, « pas loin » ne signifiant visiblement pas la même chose pour James que pour elle. Mais ils finirent bel et bien par aboutir dans une longue rue bordée de magasins surmontés d'appartements. Les boutiques avaient sans doute toujours été là. Les bâtiments, d'époque georgienne, étaient délabrés ; leurs façades, garnies de stuc fissuré, portaient encore la crasse accumulée avant la loi contre la pollution de l'air de 1956, quand la suie se déposait partout.

Il était six heures du soir. La plupart des boutiques avaient fermé, la rue était silencieuse. Agatha se rappelait le temps où une telle rue aurait résonné de cris d'enfants : des enfants jouant à la marelle, au ballon, aux cow-boys et aux Indiens. À présent, ils devaient tous être enfermés chez eux à regarder la télévision, des vidéos, ou à jouer à l'ordinateur. C'était triste.

Le numéro 43 se révéla être un escalier coincé entre deux magasins, menant aux appartements à l'étage. Au sommet des marches se trouvaient une porte en bois déglinguée et, contre cette porte, une rangée de sonnettes avec, à côté de chacune, un nom sur une étiquette. Aucun Mabbs n'était répertorié.

« Ça ne doit pas être la bonne adresse, dit James.

– Je n'ai pas fait tout ce chemin pour rien », répondit Agatha avec impatience, car elle avait mal aux pieds.

Elle appuya sur la première sonnette.

Quelques instants plus tard, la porte s'ouvrit sur une jeune fille maigre à l'air anémique, aux cheveux blonds enduits de gel et coiffés en pointes.

« C'est pour quoi ? demanda-t-elle.

– Miss Cheryl Mabbs, fit Agatha.

– C'est la 4, répondit l'autre. Mais elle sera pas chez elle. Elle et Jerry, y sont sortis.

– Où ça ? demanda James.

– Qu'est-ce que j'en sais, mon vieux ? En général, ils bouffent au fish and chips, et après ils vont en boîte.

– Et où se trouve cette boîte ? » demanda James en décochant un sourire à la jeune fille, qui le lui renvoya.

« Pas vot' genre. Au bout de la rue. Rave On Disco, qu'ça s'appelle. Vous pouvez pas la rater. Attendez un peu, et vous verrez le boucan qu'ça fait. »

« Bon, tant pis, dit James lorsqu'ils ressortirent dans la rue.

– Non, pas tant pis », répliqua Agatha. Elle leva les yeux vers lui. « On pourrait manger un morceau, puis aller nous-mêmes en boîte. »

James s'effaroucha légèrement, et son regard se perdit dans le lointain. « Vraiment, je crois que je préférerais rentrer, Agatha. Comme vient de le faire remarquer cette jeune dame, les boîtes, ce n'est pas mon genre. »

Agatha le mitrailla du regard. « Ce n'est pas franchement le mien non plus », protesta-t-elle, les pieds en proie à des élancements douloureux.

Il resta planté là, à la fixer avec un embarras poli, attendant manifestement qu'elle cède.

« On dîne et on y réfléchit ? suggéra-t-elle.

– Je crois que j'ai un peu faim. Mais c'est un peu tôt pour dîner. On va chercher un pub. »

Autour d'un verre, suivi d'un modeste dîner

dans un restaurant indien, Agatha se fit la réflexion que plus elle passait de temps avec James, moins elle avait l'impression de le connaître. Il semblait disposer d'une inépuisable réserve de sujets de conversation impersonnels, depuis la politique jusqu'au jardinage, mais ce qu'il ressentait ou pensait réellement, il n'en disait rien.

Au bout du compte, il accepta d'aller en discothèque.

Les voilà donc revenus dans Blackbird Street. À l'approche de la boîte de nuit, ils entendirent le battement sourd de la musique disco.

La boîte, Rave On, était un club privé, mais ils n'eurent aucun mal à entrer en payant un modeste droit d'admission. « Amusez-vous bien, mamie », dit le videur à Agatha, qui lui rétorqua : « Va te faire foutre ! » en le foudroyant du regard, avant de se rendre compte que le visage de James avait revêtu le même air absent que tout à l'heure.

À l'intérieur, ça grouillait de corps se contorsionnant sous les lumières stroboscopiques. Emboîtant le pas à James, elle se fraya un chemin à travers la foule, jusqu'à un comptoir capitonné de plastique noir dans un coin de la salle.

James commanda une eau minérale pour elle, parce qu'elle allait reprendre le volant, et un whisky à l'eau pour lui.

« C'est combien ? cria-t-il au barman, un jeune boutonneux au teint blafard et aux traits tirés.

— Offert par la maison, m'sieur l'agent.

– Nous ne sommes pas de la police.

– Alors allongez la monnaie, chef ! Trois livres la boisson. Ça f'ra six en tout, patron !

– Est-ce que vous connaissez Cheryl Mabbs ? demanda James. C'est une amie à nous.

– Là-bas dans l'box, fit l'autre en pointant le doigt vers elle. Celle avec les ch'veux orange et roses. »

À travers les élancements des lumières stroboscopiques et les tournoiements des corps mouvants, ils distinguèrent une lueur orange et rose dans le coin opposé.

« Videz votre verre, ordonna James, avant d'expédier son whisky.

– Je vais laisser le mien, hurla Agatha pour couvrir le vacarme. J'ai toujours trouvé que la flotte, ça manquait de goût. »

Même si James avait ce regard absent qu'elle en était venue à interpréter comme une marque de réprobation, il dit simplement : « Il vaut mieux traverser en dansant, ce sera plus discret. »

Il se joignit donc à la masse des silhouettes tournoyantes, agitant les bras avec entrain tout en tournant tel un derviche. Agatha essaya de l'imiter, mais elle se sentit ridicule. Les ados s'arrêtaient de danser pour encourager son compagnon.

Très discret ! se plaignit-elle intérieurement. *Tout le monde a le regard braqué sur nous maintenant, bordel !*

Après quelques tours et pirouettes supplémentaires, James s'arrêta devant le box de Cheryl, sous les applaudissements frénétiques des autres clients.

Ils se retrouvèrent face à une Miss Mabbs toute différente de la jeune fille discrète et blafarde en blouse blanche qu'Agatha avait vue chez le vétérinaire. Ses cheveux, vaporisés de rose et d'orange, étaient coiffés en « touffes » – il n'y avait pas d'autre mot. Elle portait un blouson en cuir noir clouté, par-dessus un tee-shirt jaune où était écrit un slogan qu'Agatha n'arrivait pas à lire dans l'obscurité. À côté d'elle se trouvait un jeune homme en blouson de cuir dont le visage évoquait un renard éméché.

« Miss Mabbs ! s'exclama Agatha. Nous vous cherchions.

– Vous êtes qui, d'abord ? » demanda la fille avant de saisir sa boisson, d'une couleur aussi abominable que ses cheveux, de déplacer d'un petit coup de nez le parapluie en papier qui la surmontait, et d'en absorber une gorgée à l'aide d'une paille.

« Je m'appelle Agatha Raisin, répondit Agatha en tendant brusquement la main.

– Et alors ? marmonna Cheryl.

– Je vous ai rencontrée chez le vétérinaire, à Carsely. J'y étais venue avec mon petit minou.

– Votre petit minou, hein ? gloussa le cavalier de la jeune fille. Ça a marché ? »

Cheryl ricana.

« Écoutez, fit James, de cette voix aux accents autoritaires caractéristique des classes supérieures, est-ce qu'on peut aller se mettre au calme pour discuter ?

– Allez vous faire foutre, oui ! » rétorqua Cheryl, mais le jeune homme posa une main sur son bras.

Il regarda James, une étincelle dans ses yeux de renard.

« Qu'est-ce qu'on a à y gagner ?

– Dix livres et un coup à boire, répondit James.

– O.K. Allez viens, Cher ! »

Ils furent bientôt tous assis dans le silence d'un pub miteux, peut-être l'un des derniers pubs sans machine à sous, juke-box ou musique d'ambiance de toute la Grande-Bretagne. Quelques consommateurs âgés étaient installés dans les coins. Ça sentait le moisi, la bière et les vieux.

« Qu'est-ce que c'est qu'vous voulez savoir ? demanda Cheryl Mabbs.

– C'est au sujet de Paul Bladen, répondit Agatha avec empressement. Il semblerait qu'il ait été assassiné. »

Une lueur d'intérêt apparut pour la première fois dans le regard de la jeune femme.

« Et moi qui croyais qu'il se passerait jamais rien de passionnant dans cette foutue cambrousse. Moi, je préfère une vie plus cosmopolite, genre », déclara-t-elle. À l'entendre, on aurait cru que Leamington Spa était Paris. « Qui c'est qui l'a tué ?

– C'est ce que nous cherchons à découvrir, dit James. Une idée ? »

Elle fit une grimace horrible et but une généreuse lampée de son poiré-brandy. « Ça pourrait être n'importe qui, répondit-elle enfin.

– Et puis, il y a eu Mrs. Josephs », ajouta Agatha, avant de lui expliquer qu'elle aussi avait été assassinée.

« Je lui avais dit qu'il allait s'attirer des ennuis quand il a foutu ce vieux chat en l'air, expliqua Cheryl. Il aimait pas les chats, ça, c'est rien de le dire. Il avait horreur de ces bestioles. Mais pour raconter des boniments aux mémères du village, là, il était doué ! Il était toujours à en inviter une à dîner.

– Pour quoi ? demanda Agatha.

– Pour quoi, à votre avis ? rétorqua Cheryl. Pour leur argent, j'imagine. C'est vrai, quoi, qu'est-ce que ça aurait pu être d'autre ?

– Et pourquoi en aurait-il voulu à leur argent ? » demanda James, en lançant un regard compatissant à Agatha, dont la grimace surpassait maintenant celle de Cheryl. « Il a laissé une belle somme, après tout.

– Une impression, c'est tout. Il en pinçait pour cette bonne femme, là, Freda Huntingdon. Je les ai surpris en pleine action.

– Où ça ? s'enquit Agatha en fixant James d'un air triomphal.

– Sur la table d'examen, carrément ! Elle avait la jupe retroussée jusqu'aux oreilles, et lui, le pantalon en tire-bouchon autour des chevilles. Quelle rigolade ! Morte de rire, j'étais ! Mais avec les autres… À part leur prendre la main et les emmener bouffer, il allait pas plus loin, à mon avis. Évidemment, il a bien été forcé de passer de la pommade à Mrs. Josephs, hein ? C'est vrai, quoi, elle lui foutait pas la paix à cause de son chat. Et puis, il y avait cette drôle de vieille créature, là, Miss Webster. C'est tout. »

La grimace reparut sur le visage d'Agatha. Selon son estimation, Josephine Webster, la femme qui tenait la boutique de fleurs séchées, était moins âgée qu'elle.

« Aucune de ces dames n'est vraiment vieille ! » protesta-t-elle.

Cheryl haussa les épaules. « Moi, j'ai l'impression qu'elles ont toutes au moins cent piges, répondit-elle avec toute l'insensibilité de la jeunesse.

— Est-ce que c'était aussi un coureur de jupons, à Mircester ? demanda James.

— Je le connaissais pas avant. J'ai vu l'annonce pour un boulot de réceptionniste chez un vétérinaire, et je l'ai eu.

— Et qu'est-ce que vous faites, maintenant ?

— Je bosse dans un chenil. Sur la route de Warwick. » Le visage de Cheryl s'adoucit brusquement. « J'aime bien les bêtes. J'les préfère cent fois aux gens. »

« Bien, tout ce qu'on a appris de ces désagréables tourtereaux, résuma James sur le trajet du retour à Carsely, confirme en gros ce qu'on supposait. Il faisait du charme aux dames de Carsely...

– Et s'en faisait une, tout court, remarqua Agatha avec un grand sourire.

– Je dois avouer que j'ai été très surpris d'apprendre ça au sujet de Freda, répondit James avec raideur. Vous croyez que Miss Mabbs aurait pu tout inventer ?

– Absolument pas ! s'exclama Agatha d'un ton jubilatoire.

– Enfin, bref, j'imagine que maintenant, il faut se concentrer sur Miss Webster. Et puis on a toujours Mrs. Mason à voir. Quelle est l'autre femme que vous aviez vue aux obsèques ?

– Harriet Parr.

– On ira toutes les voir demain. Mais mieux vaut ne pas informer Bill de nos agissements.

– Quand même, je ne peux pas m'empêcher de penser que la clé de toute cette histoire est à chercher du côté de l'ex-épouse. Elle devait le connaître mieux que personne. Et qui était la femme qui m'a répondu au téléphone en prétendant qu'elle était son épouse, justement ? Je parie que c'était notre chère madame Jupe-Par-Dessus-Tête, Freda Huntingdon.

– Pourrait-on définitivement laisser tomber le sujet "Freda" ? » s'impatienta James.

En lui lançant un regard oblique, à l'approche d'un feu clignotant, Agatha vit qu'il affichait une mine sévère.

Foutue Freda ! pensa-t-elle avec amertume, puis elle appuya sur le champignon et lança la voiture à toute blinde dans la nuit en direction de Carsely.

« Est-ce qu'il y a un Mr. Parr, à votre avis ? » demanda James le lendemain, au moment où ils traversaient tranquillement le village afin de reprendre leur enquête.

« Je ne pense pas, non. Il y a énormément de veuves dans le coin. Les hommes vivent moins longtemps.

– Du moins quand ils sont mariés. »

James fourra les mains dans ses poches et se mit à siffloter un air compliqué – probablement du Bach ou un autre vieux raseur de ce style, songea Agatha.

Mrs. Harriet Parr habitait un pavillon moderne à la périphérie du village. Au moment où ils atteignaient le portail, Agatha s'écria : « On perd notre temps.

– Pourquoi ?

– Je ne me rappelle pas avoir rencontré de Mrs. Parr au presbytère. Si elle n'était pas là pour entendre ce que m'a dit Mrs. Josephs, qu'est-ce qu'elle viendrait faire dans cette histoire ?

– Peut-être que Mrs. Josephs avait déjà raconté la même chose un peu partout.

– Oh, eh bien, allons-y ! »

Ce fut Mrs. Parr qui leur ouvrit la porte. Agatha commença par expliquer qu'elle ne les connaissait pas, mais que Mr. Lacey et elle-même aimeraient lui poser quelques questions, et ils se retrouvèrent bientôt installés dans un confortable séjour. Elle compta six chats. La présence de si nombreux chats dans une seule pièce avait quelque chose d'étouffant. Elle sentait confusément que certains, au moins, auraient dû se trouver dehors.

Mrs. Parr était une petite femme aux cheveux noirs bouclés, dont la taille de guêpe semblait curieusement d'un autre âge. Agatha décréta qu'elle portait un corset. Elle avait les joues rouges et fermes, et une petite bouche pincée qui révélait des dents pointues lorsqu'elle parlait.

Il fallut attendre un moment avant qu'Agatha puisse passer à l'interrogatoire, car avant toute chose, chacun des chats dut leur être présenté à tour de rôle. Après quoi Mrs. Parr s'affaira autour de James, lui demandant s'il était bien installé et tapotant les coussins dans son dos, avant de foncer à la cuisine chercher du thé et quelques-uns de ses « scones spéciaux ».

« Pas de Mr. Parr, murmura Agatha.

– Il est peut-être parti au travail. »

Leur hôtesse revint avec un plateau. Après que le thé eut été servi et la légèreté des scones admirée, Agatha déclara enfin : « En fait, ce qui nous intéresserait beaucoup, c'est d'en savoir un peu plus sur Paul Bladen. »

La tasse de thé de Mrs. Parr cliqueta sur sa soucoupe.

« Pauvre Paul ! » s'exclama-t-elle. Elle reposa tasse et soutasse, puis se tamponna les yeux avec un mouchoir en papier tout froissé. « Si jeune, et si courageux.

– Courageux ?

– Il allait fonder une clinique vétérinaire. Il avait des rêves si nobles ! Il disait qu'il ne pouvait se confier qu'à moi. J'étais la seule à avoir assez d'imagination pour partager sa vision. »

À cet instant, ils entendirent le bruit de la porte d'entrée. « Mon mari, chuchota Mrs. Parr. Ne... »

La porte du séjour s'ouvrit sur un homme grand et maigre d'un certain âge, au teint grisâtre et à la pomme d'Adam saillante au-dessus d'un col de chemise rigide.

« Ce sont des gens du village, mon chéri. Mrs. Raisin et Mr. Lacey. Ils habitent tous les deux Lilac Lane. Ils étaient en train de me complimenter sur mes scones.

– Qu'est-ce qui vous amène ici ? demanda l'homme sans détours.

– Nous commencions juste à nous renseigner au sujet de Paul Bladen. Vous savez, le vétérinaire qu'on a retrouvé mort ?

– Sortez d'ici ! » siffla Mr. Parr. Il tenait la porte grande ouverte. « Dehors !

– Nous ne faisions que..., commença Agatha, mais elle ne put placer un mot de plus.

– Dehors, j'ai dit ! » cria l'homme, à pleins poumons cette fois, son visage fin et fatigué contracté par la rage. « Ne remettez plus les pieds ici ! Laissez-nous tranquilles !

– Je suis vraiment navré de vous avoir autant contrarié », s'excusa poliment James tandis qu'Agatha et lui contournaient timidement le mari, lequel hurla : « Dégage, bourgeois de mes deux ! » avant de cracher à la figure de son visiteur.

Un silence horrifié suivit, qu'interrompaient seulement les sanglots de Mrs. Parr. James s'essuya lentement le visage avec un mouchoir. Mr. Parr s'était mis à trembler légèrement, visiblement atterré par l'outrance de son propre comportement.

James posa alors ses grandes mains sur les épaules du bonhomme et le secoua d'avant en arrière, en ponctuant chacun de ses mouvements d'un mot : « Ne... me... faites... plus... jamais... ça ! »

Puis il le relâcha brusquement et sortit à grandes enjambées, Agatha sur ses talons.

« On ne fait que semer la zizanie, Agatha », soupira-t-il. Il lança un dernier coup d'œil au pavillon bien entretenu. « Vous savez, autrefois, quand je rentrais en permission, il m'arrivait de regarder les maisonnettes par la fenêtre du train et d'imaginer les vies tranquilles et douillettes qui se déroulaient à l'intérieur. Mais quels horribles drames passionnels se cachent derrière les façades de toutes ces maisons aux noms rassurants comme *Mon Repos*[1] et Shangri-La ! Quels terrains propices au meurtre !

---

1. En français dans le texte. (*N.d.T.*)

– Oh ! on ne s'ennuie pas, à la campagne ! répondit-elle joyeusement. Je sens que nous progressons. Mrs. Parr devait avoir une aventure avec Bladen. Allons tenter notre chance auprès de Josephine Webster.

– Peut-être qu'avant d'aller la trouver, on devrait rendre visite à Freda Huntingdon.

– Quoi ? Cette pouffiasse ? Comment pouvez-vous regarder cette traînée sans rougir ? »

James s'arrêta et baissa les yeux sur elle, penché en arrière, les mains dans les poches, tout en se balançant légèrement sur les talons. Son regard devint vaguement malicieux. « Au contraire, Agatha, je trouve l'idée de Freda Huntingdon avec la jupe retroussée jusqu'aux oreilles tout à fait délectable. »

Elle reprit son chemin. Soit, ils allaient rendre visite à Freda parce qu'elle était soudainement convaincue, elle le sentait au plus profond d'elle-même, que Freda était l'assassin ! Et elle, Agatha Raisin, allait en apporter la preuve ! Freda serait traînée hors du village par la police. Elle serait condamnée à la prison à vie. Elle serait enfermée loin de tout, et James ne poserait plus jamais les yeux sur elle !

« Pourquoi marchez-vous si vite ? demanda-t-il d'un ton plaintif, quelque part derrière elle. Je croyais que ça ne vous enthousiasmait pas d'aller voir Huntingdon.

– J'ai décidé qu'après tout, si, j'avais très envie de rendre visite à cette chère Freda », rétorqua-t-elle.

Le Cottage de Droon, dont Freda avait fait l'acquisition, se trouvait sur une hauteur, derrière le village. C'était un cottage georgien, agrémenté d'une splendide glycine suspendue au-dessus de sa porte de style Régence, dont les fleurs mauves commençaient tout juste à poindre.

« La sonnette ne marche pas », prévint James, et ce signe qu'il connaissait bien le fonctionnement de la maison arracha une horrible moue à Agatha.

La porte fut ouverte par Doris Simpson, sa femme de ménage.

« Qu'est-ce que vous fabriquez ici ? » demanda-t-elle, car elle avait le sentiment d'avoir la propriété exclusive de cette excellente employée, bien que Doris ne vînt plus chez elle qu'un jour par semaine.

« Je travaille pour Mrs. Huntingdon, Agatha », répondit la femme de ménage, et Agatha se fit la réflexion qu'en présence de James, Doris aurait au moins dû l'appeler « Mrs. Raisin ».

« Elle est là ? demanda James.

– Non, James, elle est chez lord Pendlebury. Il lui garde son cheval à l'écurie. Au fait, Bert vous dit merci pour les livres que vous lui avez prêtés. »

« On va monter chez lord Pendlebury, et on discutera avec Freda là-haut, décida James.

– Je ne savais pas que vous connaissiez Bert et Doris Simpson, remarqua Agatha.

– Il m'arrive de prendre un verre avec eux au

168

Red Lion. Si on allait chez Pendlebury à pied ? Il fait beau, aujourd'hui.

– Bon, d'accord », répondit Agatha de mauvaise grâce, tout en pensant : *Ça, pour se faire bien voir de l'aristocratie, on peut faire confiance à Freda !*

Lorsqu'ils gagnèrent enfin Eastwold Park, elle maudissait intérieurement ses pieds quinquagénaires. Elle avait pourtant mis une paire de chaussures plates en daim noir qui, jusqu'à ce jour, lui avaient semblé miraculeusement confortables. Comme elle ne les avait jamais portées ailleurs que dans son cottage ou alors pour faire quelques pas entre sa voiture et les magasins, elle ne s'était jamais aperçue que tout un tas de bosses et d'arêtes dures s'étaient formées à l'intérieur.

À l'approche du manoir, elle sentit se recroqueviller son âme de prolétaire.

Cette réaction fut encore aggravée par l'odeur de haricots blancs en conserve en provenance de la cuisine qui réveilla dans sa mémoire des souvenirs très nets des rues miteuses de Birmingham : hurlements de bébés, grosses femmes belliqueuses, et la petite Agatha qui caressait le rêve de pouvoir un jour s'installer dans les Cotswolds. Le régime alimentaire des pauvres, se rappela-t-elle, semblait se résumer aux haricots en boîte et aux fish and chips.

Mrs. Arthur ouvrit la porte. « Il a de la visite, dit-elle. Il est à l'écurie.

– Nous allons le rejoindre là-bas », répondit James.

Agatha le suivit en boitant.

Freda et lord Pendlebury étaient dehors à discuter. Avec sa veste d'équitation en tweed, son jodhpur et ses bottes de cheval neuves, la nouvelle habitante de Carsely avait l'air tout droit sortie d'une publicité sur papier glacé de la revue *Country Life.*

« James ! » s'écria-t-elle en l'apercevant, avant de courir vers lui et de l'embrasser sur la joue. Agatha regrettait d'être venue. Lord Pendlebury les rejoignit. « Qu'est-ce que c'est que ça, jeune homme ? Je savourais la compagnie de cette jolie dame jusqu'à ce que vous débarquiez ! » Sur quoi, il lança à Freda un regard de vieux gâteux éperdu. Puis il vit Agatha. « Grands dieux ! Encore elle ! »

Freda eut un petit gloussement et s'accrocha au bras de James en levant la tête vers lui avec un sourire.

« Nous avons posé quelques questions à propos de la mort de Paul Bladen, lança Agatha d'une voix forte et rude. D'après ce que nous avons compris, vous vous envoyiez en l'air avec lui, c'est ça ?

– Non, mais, dites donc ! » Freda la dévisagea d'un air dégoûté, avant de se tourner vers les deux gentlemen et de les implorer silencieusement du regard.

« Allez-vous-en, espèce de sale bonne femme ! Ouste ! ordonna lord Pendlebury.

– Trop direct, Agatha, chuchota James. Pourquoi ne pas rentrer chez vous et me laisser agir ? Je passerai vous voir plus tard. »

Écarlate, elle fit volte-face et s'éloigna d'un pas furieux. Elle sentait leurs yeux à tous rivés sur son dos. Pourquoi diable avait-elle été si *directe* ? Foutue Freda !

James allait certainement laisser tomber l'enquête à cause de cette pouffiasse !

Ses pieds lui faisaient mal, son cœur tout autant, et elle fut bien contente de rentrer chez elle et de retrouver la compagnie affectueuse et peu exigeante de ses chats.

Alors qu'elle se disait qu'il valait mieux oublier James et aller poser quelques questions à Josephine Webster, le téléphone sonna.

Quelles ne furent pas sa stupéfaction et son indignation quand elle reconnut la voix de Jack Pomfret ! « Écoute, Agatha, fit-il d'un ton cajoleur. D'accord, je m'y suis pris de travers. Oui, comme tu l'as deviné, je me suis pris un gadin en Espagne. Mais j'ai un super-plan pour me refaire et… »

Elle lâcha le combiné. Elle s'aperçut qu'elle tremblait de colère. Comment *osait*-il ! Qu'il persiste à essayer de lui soutirer de l'argent lui faisait presque peur. Il fallait qu'elle pense à autre chose. Josephine Webster, tiens ! Et Mrs. Mason, aussi. La présidente de la Société des dames de Carsely avait assisté aux obsèques.

Mais elle était trop troublée pour rester lucide.

Elle envisagea de se servir un verre, puis préféra s'abstenir. Pas question qu'elle finisse comme ces gens qui boivent à la moindre contrariété. Elle alluma donc la télé et, plantée devant une série sentimentale américaine sans vraiment la regarder, elle sentit qu'elle se détendait peu à peu.

Une heure plus tard, quand la sonnette retentit, elle sursauta, presque effrayée à l'idée que Jack Pomfret ait pu la poursuivre jusque dans sa campagne. Mais ce fut James qu'elle trouva sur le seuil.

« Désolé pour tout à l'heure, dit-il. Vous avez été trop directe. Freda sait que vous ne l'aimez pas, alors elle n'aurait pas apprécié que vous l'interrogiez.

– Et vous, vous en avez tiré quelque chose ?

– Après m'être débarrassé de ce vieux gâteux de Pendlebury, j'ai eu une discussion avec elle. Elle a eu une petite aventure avec Bladen, mais c'est tout. Elle m'a fait remarquer, à juste titre, qu'elle est libre, célibataire, et qu'elle a le droit de faire ce qu'elle veut. Elle a évoqué toute cette histoire avec beaucoup de franchise.

– Mais pourquoi le voir au cabinet, alors ? Ils avaient tous les deux une maison et un lit où ils auraient pu s'isoler. Vous ne croyez pas que c'est le signe d'une relation passionnée plutôt que d'une passade ?

– Eh bien, fit James d'un air gêné, Freda n'est pas une fille comme les autres.

– Pas une femme d'âge mûr comme les autres, plutôt.

– Ne nous disputons pas à propos de Freda. Je ne crois pas qu'il y ait des raisons de se faire du souci de ce côté. Allons voir Josephine Webster. »

Contente d'avoir une excuse pour passer du temps en sa compagnie et s'éloigner de son téléphone, Agatha se mit en chemin avec James pour la boutique de fleurs séchées de Josephine Webster. Ce n'était pas une boutique à proprement parler, mais une simple maison, située dans la grand-rue, dont elle utilisait ce qui aurait dû être le séjour pour exposer ses marchandises. Il y faisait sombre, et l'air était saturé des odeurs de gingembre et de cannelle des savons et des parfums à base de plantes. Des bouquets étaient suspendus aux poutres apparentes. Des chapeaux de paille ornés de fleurs séchées étaient accrochés au mur.

Miss Webster, toujours aussi soignée de sa personne, faisait ses comptes, assise à un bureau dans un coin de la pièce.

Déterminée à faire preuve de plus de délicatesse, Agatha commença par acheter un savon au bois de santal, parla de la Société des dames de Carsely, de la météo, avant d'en venir enfin au sujet qui l'intéressait : Paul Bladen.

« Une mort bien malheureuse, déplora Miss Webster en lorgnant Agatha par-dessus ses lunettes à monture dorée. Quel accident regrettable !

– Mais, intervint James, à la lumière du meurtre

de Mrs. Josephs, la police commence à envisager la possibilité qu'on ait aussi assassiné Paul Bladen.

– C'est ridicule. Je n'y crois pas un instant.

– Une unité mobile de la police est en train de s'installer à l'extérieur du village, et je ne pense pas que ce soit seulement pour la mort de Mrs. Josephs. »

Josephine Webster les regardait d'un air fermé, la bouche pincée.

« J'ai beaucoup à faire. Si vous ne souhaitez rien acheter d'autre, allez-vous-en, s'il vous plaît.

– Mais vous deviez être proche de Paul Bladen ! insista Agatha. Je vous ai vue à son enterrement.

– J'y étais pour lui rendre un dernier hommage, même si je ne l'aimais pas. C'est pour cette raison que nous autres, gens du village, nous y sommes allés. Alors que les étrangers comme vous n'ont très certainement été poussés que par une vulgaire curiosité. Si vous voulez un conseil, laissez la police faire son travail. »

« Voilà ce qui s'appelle se faire envoyer promener ! dit James, une fois dehors. On dirait que tout ce qu'on obtient, ce sont des insultes. Si on allait chez Mrs. Mason ?

– Au moins, là, on sera bien accueillis. Elle habite dans les lotissements.

– Comment vont vos pieds ?

– Bien. J'ai changé de chaussures. »

Mrs. Mason leur réserva, en effet, un accueil chaleureux. Ils eurent de nouveau droit à du thé et des scones. Aux derniers ragots du village. Mais Agatha commença à s'agiter nerveusement. Une enquête pour meurtre était en cours à Carsely. N'était-il pas étrange que Mrs. Mason n'y fasse aucune allusion ?

« Ça grouille de policiers, risqua-t-elle.

– Oui, pauvre Mrs. Josephs ! J'ai du mal à y croire. À mon avis, elle s'est suicidée. Elle était bouleversée à cause de son chat.

– C'était vraiment méchant de faire ça, de la part de Bladen, avança James. Bien sûr, la police pense qu'il a été assassiné, maintenant. »

Un long silence s'installa, pendant lequel Mrs. Mason le regarda fixement, sa silhouette imposante raide comme une statue.

« C'est ridicule, finit-elle par répondre. Personne n'aurait tué Mr. Bladen.

– Pourquoi ?

– Ce n'était pas le genre de personne qu'on assassine. C'était un homme déterminé, un visionnaire. Un homme gentil.

– Ce n'était pas très gentil de tuer le chat de Mrs. Josephs.

– Il s'agissait d'une *euthanasie* ! Il m'a dit que ce chat souffrait le *martyre* !

– Réfléchissez un instant, Mrs. Mason, intervint Agatha en se penchant en avant, et supposez que quelqu'un ait tué Paul Bladen. Vous n'avez aucune idée de ce qui pourrait expliquer un tel acte ?

– Non, absolument aucune. Je ne me mêlerais pas de tout ça, Mrs. Raisin, si j'étais vous.

Vraiment pas. Ce n'est pas correct. Peut-être que c'est comme ça que font les gens de la ville, mais…

— Enfin, vous n'avez même pas envie de savoir qui a assassiné Mrs. Josephs ?

— Si, mais c'est à la police de le découvrir. »

Voyant qu'ils n'obtenaient plus rien de leur hôtesse, James et Agatha se retirèrent dans le cottage de cette dernière.

« J'aimerais bien faire une nouvelle tentative auprès de l'ex-épouse, Mrs. Bladen. Mais elle nous claquerait sans aucun doute la porte au nez.

— Vous savez, dit James, on pourrait retourner voir Bunty Vere-Dedsworth au manoir. Elle nous aiderait peut-être à faire parler Greta Bladen.

— Alors allons-y ! » s'écria Agatha avec empressement, car elle craignait, s'ils restaient plus longtemps au village, que Freda ne fasse son apparition sur le pas de sa porte.

7

Ils s'apprêtaient à partir quand le téléphone sonna. Agatha sursauta et regarda l'appareil comme s'il s'agissait d'un serpent prêt à l'attaque. Était-ce Freda ? Ou alors Bill Wong qui leur demandait de se mêler de leurs affaires et de laisser la police faire son travail ? Il avait toujours eu la vilaine manie de deviner ce qu'elle mijotait.

Elle décrocha le combiné et prononça un timide : « Allô ?

– Agatha, écoute-moi ! fit la voix sévère de Jack Pomfret. C'est vraiment ridicule. Je...

– Va-t'en et laisse-moi tranquille ! » hurla-t-elle, avant de raccrocher violemment.

Debout à côté du téléphone, elle essuya ses mains moites sur sa jupe. « Il est fou, marmonna-t-elle. Si ça continue, je vais le tuer !

– Qui ça ? Est-ce que ça va, Agatha ? »

Elle secoua la tête comme pour s'éclaircir les idées et poussa un soupir. « Un homme que je connaissais. Il essaie de m'escroquer : il crée une société ; je finance. Il sait que j'ai découvert qu'il essayait de me rouler. Mais il est complètement fou. Il n'arrête pas de m'appeler. Je me sens humiliée. Je me sens menacée. »

La sonnerie retentit à nouveau. Elle sursauta.

« Si vous voulez bien », dit James. Il décrocha et écouta. Puis il déclara d'un ton glacial : « Je suis le mari d'Agatha. C'est moi qui gère ses finances. Si vous appelez encore une fois, je suggérerai à la police d'examiner de près toutes vos transactions commerciales. » Il regarda le combiné, avant de le reposer avec un sourire.

« Qu'est-ce qu'il a dit ? demanda Agatha.

— Il a poussé un cri terrifié et il a raccroché. Vous n'en entendrez plus parler.

— Comment pouvez-vous en être si sûr ?

— Parce que, ma chère Agatha, tout endurcies et indépendantes que soient les femmes d'aujourd'hui, nous vivons encore dans un monde archaïque. Maintenant, il est persuadé d'avoir affaire à un mari furieux. Allez, venez. Vous avez l'air trop secouée pour conduire. »

Une douce sensation se répandit dans le corps d'Agatha tandis qu'elle montait dans la voiture de James. Il avait dit qu'il était son mari ! Oh, il fallait qu'elle trouve un moyen de répéter ça à Freda Huntingdon !

C'était un jour de grand vent ; les ombres énormes des nuages filaient sur les champs de blé vert ondoyant dans la lumière intermittente du soleil. Agatha avait le cœur léger. Si léger qu'elle se mit à chanter, sur l'air de la comédie musicale *Oklahoma !* : « Ah ! quel beau matin !

– C'est l'après-midi », corrigea James.

Il alluma la radio, ce qui équivalait à une critique sans équivoque, et elle sombra de nouveau dans le silence.

Le manoir n'avait pas changé depuis leur précédente visite : il dégageait une impression de calme et de bienveillance, il avait l'air d'être une composante du paysage plutôt qu'une construction qu'on aurait plaquée dessus.

« Alors vous êtes revenus ! s'écria Bunty, enchantée. J'allais justement prendre un café.

– Nous avons besoin de votre aide », dit James une fois qu'ils furent assis dans la confortable cuisine.

Il résuma brièvement les récents événements et expliqua qu'ils étaient certains que Greta Bladen pourrait les aider.

Bunty écouta avec attention, les yeux brillants d'intérêt.

« Comme je vous l'ai dit, je connais Greta. Nous nous connaissons tous dans ce petit village. Je vais lui téléphoner et lui demander de venir. »

Elle quitta la pièce, pour revenir peu après en disant que Greta n'allait pas tarder. « Il vaut mieux que vous me laissiez parler. Elle est parfois irritable. »

Irritable, voilà en effet ce que paraissait Greta

quand elle entra dans la cuisine et s'arrêta net à la vue d'Agatha et de James.

« Voyons, tu ne peux pas fuir les gens qui posent des questions sur la mort de Paul, déclara la maîtresse de maison avec fermeté. Tu ne l'aimais pas, mais tu ne veux tout de même pas qu'on laisse un assassin courir les routes des Cotswolds en toute tranquillité ! Assieds-toi, Greta, et bois un café. Tu comprends, nous avons tous, ici, le sentiment que si nous en savions un peu plus sur Paul Bladen, nous pourrions peut-être deviner lequel des suspects a commis le meurtre.

– Y compris moi », répondit Greta avec amertume, mais elle s'assit et enleva son manteau.

« Eh bien, ce n'est pas très gai, comme histoire, reprit-elle. Comme vous devez vous en rendre compte, j'avais dix ans de plus que Paul quand je l'ai rencontré. Il était vétérinaire à Leamington Spa, où j'habitais. J'avais un chien auquel j'étais très attachée, comme seules les personnes en manque d'amour peuvent être attachées à des bêtes. »

Agatha, qui pensait justement à ses deux chats, plongea les yeux dans son café.

« Je l'ai emmené chez le vétérinaire pour des vaccins. Paul a été charmant. Quand il m'a invitée à sortir avec lui, je n'arrivais pas à y croire ! Mes parents étaient décédés en me laissant une maison et une coquette somme d'argent. Ç'a été ce que certains romans à l'eau de rose appelleraient une "idylle éclair". Peu de temps après notre mariage,

180

un matin, j'ai trouvé mon chien mort. Alors qu'il était encore en bonne santé la veille. Paul a montré beaucoup de compassion et il a pratiqué une autopsie. Il a affirmé que le chien était mort d'un arrêt du cœur. C'est seulement quelques années plus tard que je l'ai soupçonné de l'avoir empoisonné. Aussi étrange que ça paraisse pour un vétérinaire, il avait la haine des chiens et des chats. Il m'a parlé de son rêve de créer une clinique vétérinaire. Il disait qu'il lui donnerait mon nom. Je lui ai fait don d'une somme considérable pour démarrer son projet.

« Au cours de l'année qui a suivi, il m'a régalée d'anecdotes sur le terrain qu'il avait acheté et le début du chantier. J'étais enthousiaste, je lui ai demandé d'aller voir, mais il répondait qu'il voulait que ce soit une surprise. Je lui ai dit : "Dis-moi au moins où c'est !", et il m'a répondu que ça se trouvait sur Chimley Road, en bordure de Mircester. Il s'est mis à rentrer très tard le soir. Il prétendait qu'il se rendait toujours sur le chantier après ses consultations. Puis il a annoncé que nous allions emménager à Mircester pour nous rapprocher de la nouvelle clinique. Il ne m'a pas demandé d'argent. Il a dit qu'une maison nous attendait, mais je devais promettre de ne pas aller du côté de Chimley Road avant que sa surprise ne soit prête. »

Greta poussa un soupir.

« J'étais tellement amoureuse de lui ! Du moins jusqu'à ce que je rencontre Peter Rice, son associé, dans une soirée. Je le connaissais déjà, d'ailleurs.

Nous étions de vieux amis. Du coup, je me suis dit qu'il n'y avait aucun mal à lui demander s'ils garderaient le cabinet vétérinaire après l'ouverture de la nouvelle clinique. "Quelle clinique ?" s'est-il étonné. Je lui ai répondu. Alors il m'a lancé un regard plein de pitié et m'a suggéré d'aller jeter un coup d'œil à Chimley Road. Alarmée, je m'y suis rendue dès le lendemain. C'était une longue rangée de maisons mitoyennes. Aucune trace de chantier.

« J'ai mis Paul au pied du mur. Il a commencé à expliquer que ça n'avait pas marché là-bas, si bien que le chantier se trouvait à Leamington. Et comme je ne le croyais pas, il a fini par révéler la vérité. C'était un joueur, un joueur invétéré. Non seulement il avait dépensé tout l'argent que je lui avais donné au jeu, mais en plus, il lui en fallait plus pour payer ses dettes. J'ai refusé. Il est devenu mauvais. Il m'a dit que seul l'argent l'avait poussé à épouser une vieille bique comme moi. Oh oui ! j'aurais pu le tuer à ce moment-là. Mais je voulais me libérer de lui, alors je l'ai obligé à accepter une séparation, puis le divorce qui a suivi. S'il ne l'acceptait pas, je l'ai menacé d'aller tout raconter à Peter Rice.

— Donc, dit James, l'une de ses conquêtes aurait pu l'assassiner parce qu'il lui avait soutiré de l'argent.

— Ce n'est tout de même pas une raison pour tuer ! protesta Bunty.

– Oh, si, ça l'est ! s'exclama Agatha en repensant à Jack Pomfret.

– Maintenant que vous avez obtenu ce que vous vouliez de moi, conclut Greta d'une voix lasse, est-ce que je peux partir ?

– Bien sûr, ma chère, dit Bunty. Mais tu dois bien te rendre compte qu'il est indispensable de découvrir qui a commis cet acte terrible.

– Pourquoi ? demanda Greta en se levant. Pourquoi est-ce si important ? Il est mort sans souffrances. C'était un homme cruel, un minable.

– Vous oubliez le meurtre de Mrs. Josephs, fit calmement remarquer Agatha. Vous l'avez certainement vu dans les journaux.

– Oui, mais qu'est-ce que ça a à voir avec Paul ?

– Elle a promis de me dire toute la vérité à son sujet, et le lendemain, elle était morte. »

Greta secoua la tête, abasourdie.

« Je n'arrive pas à me persuader que la mort de Paul puisse être autre chose qu'un accident. Je ne connais pas cette Josephs – enfin, je ne la connaissais pas. Peut-être que les deux morts n'ont aucun rapport. » Sa voix tremblait. « J'ai fait ce que je pouvais pour vous. Ne me dérangez plus, s'il vous plaît. »

Un long silence suivit son départ. Puis Bunty dit : « Pauvre femme.

– Peut-être. » Agatha serra son mug de café dans ses mains entrelacées. « D'un autre côté, elle avait de très bonnes raisons de tuer Paul.

Elle connaissait forcément l'étorphine. Et elle a pu avoir accès à de l'adrénaline, s'il a laissé des médicaments chez elle quand ils se sont séparés.

– Vous oubliez le cambriolage du cabinet vétérinaire, fit remarquer James.

– La police a l'air de penser qu'il a été commis *après* la mort de Mrs. Josephs.

– Il y a autant de suspects que de femmes dans cette histoire ! déplora James. Mais nous vous avons retenue déjà assez longtemps, Bunty. »

Ils la remercièrent et partirent.

« On a tout de même appris quelque chose, dit Agatha tandis qu'ils s'éloignaient. C'est l'argent, et non la passion, qui semble être le fin mot de cette affaire. Écoutez, Jack Pomfret n'a rien obtenu de moi, hein ? Mais le seul fait qu'il ait essayé de me rouler, le fait qu'il ait l'audace de me téléphoner, ça me donne envie de le tuer, ça m'inspire une haine et une peur insensées de cet homme. Est-ce que vous pouvez le comprendre ?

– Je crois, oui. Si une de ces femmes, enfin, si une de nos suspectes, à part Greta, a craché au bassinet, elle avait un mobile pour tuer le vétérinaire. On pourrait se rendre à Mircester et demander à Peter Rice où est passé le livret de caisse d'épargne de Paul Bladen. »

Agatha acquiesça, ravie de ce prétexte pour passer plus de temps en sa compagnie.

Le cabinet vétérinaire était en train de fermer. Peter Rice les reçut avec amabilité, cette fois, mais il eut un rire dédaigneux quand ils lui demandèrent s'il avait en sa possession les livrets bancaires de Paul Bladen.

« J'ai vidé tous ses papiers et j'en ai fait un gros feu dans le jardin. J'ai mis la maison en vente. Ça aurait été difficile de la vendre avec tout son bazar à l'intérieur. J'ai demandé à Greta si elle voulait récupérer quelque chose, mais comme elle ne voulait rien, j'ai donné ses vêtements à des associations, et la maison va être vendue avec son contenu.

– Quelle était sa banque ? demanda James.

– La Cotswold and Gloucester. Mais pour autant que je sache, les banquiers ne divulguent aucune information sur les comptes de leurs clients, même morts.

– Vous n'auriez pas remarqué si Paul avait reçu de fortes sommes de la part de femmes, récemment ? demanda Agatha.

– Il n'était plus franchement assez jeune pour faire le gigolo, répondit Peter Rice avec un rire jovial. Les notaires me verseront l'argent qu'il leur restera une fois qu'ils auront prélevé leurs frais et payé l'enterrement. Je crains que Paul n'ait emporté le secret de ses finances dans la tombe. Mais pourquoi ces questions ? Il ne vous avait pas arnaquée, si ?

– Simple curiosité. C'est étrange, finalement, maintenant qu'on sait que Mrs. Josephs a été assassinée, eh bien, il semblerait que la mort de Paul Bladen soit elle aussi un assassinat.

– Je ne suis pas de cet avis. Pendlebury m'a demandé de procéder à l'opération du cornage, mais j'ai dit que je ne toucherais plus jamais à l'étorphine. »

« Allons manger un morceau », proposa James quand ils furent sortis du cabinet.

Ils jetèrent leur dévolu sur un pub du voisinage – pas celui où Agatha avait démoli le lavabo – et discutèrent des suspects, ou plutôt, Agatha discuta des suspects tandis que James fronçait les sourcils d'un air préoccupé, les yeux rivés sur sa bière.

« Je crois que vous n'avez pas écouté un seul mot de ce que je vous ai dit, fit-elle remarquer, irritée.

– J'écoutais d'une oreille. À vrai dire, je me demandais si je n'allais pas enfreindre la loi.

– Vous ?

– Oui. Je me demandais si je n'allais pas pénétrer par effraction dans la banque Cotswold and Gloucester.

– Mais c'est impossible ! Il y a forcément des alarmes sophistiquées, avec rayons laser, tapis détecteurs de pression et Dieu sait quoi encore !

– Pas forcément. Finissons notre repas et allons y faire un tour. »

La banque était une ancienne boutique reconvertie, dans une petite rue bordée de constructions d'époque Tudor dont les avant-toits en surplomb bouchaient la vue du ciel nocturne.

« Une alarme, bien sûr, dit James. On va jeter un œil derrière le bâtiment, s'il est accessible. »

Ils découvrirent une ruelle qui longeait l'arrière des magasins et de la banque, et se retrouvèrent devant une rangée de boxes, de garages et de hautes palissades en bois à l'air hermétique et imprenable.

James compta. « Voilà l'arrière de la banque. Ce qui devait être le jardin autrefois. Ils n'ont sûrement pas relié cette porte en bois, dans le mur, au circuit. »

Il sortit un petit porte-cartes de sa poche, puis en choisit une. Agatha ravala la remarque impatiente qu'elle s'apprêtait à faire – à savoir qu'elle n'avait jamais vu personne, sauf au cinéma, ouvrir une porte à l'aide d'une carte de crédit.

Elle se retourna et regarda le long de la ruelle, qui était éclairée par des lampes à sodium, ce qui donnait à la scène un aspect irréel et, craignit-elle plus prosaïquement, faisait sans doute paraître ses lèvres violettes.

Un petit clic retentit ; elle se retourna. La porte en bois était ouverte. « Incroyable !

– Rentrons vite avant qu'on nous voie », chuchota James.

Elle le suivit à l'intérieur. Après avoir refermé la porte, il sortit une lampe-stylo. « Vous aviez déjà fait ça », fit observer Agatha d'un ton accusateur.

Il ne répondit pas, mais ouvrit la marche le long d'un chemin étroit encadré de deux bandes de pelouse.

« Regardez, murmura-t-il, il y a une cuisine à l'arrière du bâtiment.

– Qu'est-ce qu'une banque a à faire d'une cuisine ?

– Pour le thé des employés. Un vestige de l'époque où c'était un magasin. Voyons, voyons… »

Le mince faisceau de la lampe balaya la surface du mur.

« Je ne vois aucun signe de système d'alarme. Je vais tenter le coup. Tenez-vous prête à déguerpir.

– Mais on n'entendra peut-être pas d'alarme, protesta Agatha, au bord de la crise de nerfs. Si ça se trouve, elle sonnera seulement au commissariat.

– Où est passé votre sens de l'aventure ? » se moqua James.

Il ressortit sa carte. Elle pria pour qu'il n'arrive pas à ouvrir la porte. Elle imaginait des voitures de police débouler dans la ruelle, des agents équipés de mégaphones, le regard réprobateur de Bill Wong. Mais tout ce qu'elle entendit, ce fut la voix de son voisin disant doucement : « Ça y est. Allez, venez ! »

Son cœur battait si fort qu'elle fut certaine qu'on pouvait l'entendre à des kilomètres à la ronde. La porte de la cuisine se referma derrière eux, le faisceau de la lampe de poche se dirigea rapidement à droite et à gauche. James ouvrit une porte et passa le premier.

Ils se retrouvèrent dans une pièce carrée remplie de bureaux et d'ordinateurs. « Le bureau, dit

James. C'est tout ce dont on a besoin. Très bien. Regardez la porte, là-bas. C'est celle qui mène à la banque proprement dite, là où se trouve l'argent. »

Agatha eut un frisson. Un boîtier d'alarme était accroché au-dessus de la porte, et une lumière rouge brillait fixement, tel un œil furieux posé sur eux.

« Maintenant, reprit James, mettez-vous à l'aise. Ça va peut-être prendre un moment. Il n'y a pas de fenêtre ici, à part celle qui donne sur l'intérieur de l'agence, et c'est tant mieux, car la lumière de l'écran d'ordinateur aurait pu être repérée de l'extérieur. »

Assise dans un coin sombre de la pièce, elle attendit, trop effrayée pour regarder ce que faisait son compagnon, même si elle perçut la lueur tremblotante d'un écran d'ordinateur qu'on allumait et le bruit étouffé de tiroirs qu'on ouvrait puis qu'on refermait.

La journée avait été longue, et une peur intense avait toujours pour effet de lui donner envie de dormir. Ses paupières se fermèrent.

Elle se réveilla quand il la secoua par l'épaule, et s'écria : « On nous a surpris ! C'est la police !

– Chut ! J'ai trouvé son compte, siffla James.

– Bien. On peut partir d'ici alors ?.

– Oui, j'ai pris des notes. Silence, maintenant. »

Elle redescendit enfin l'allée du jardin à sa suite, persuadée que des gens habitaient au-dessus des magasins contigus, et, qu'à cet instant, ces mêmes

personnes avaient les yeux braqués sur leurs silhouettes et tendaient la main vers leur téléphone.
Mais lorsqu'elle lança un regard effrayé en arrière,
tout était toujours aussi sombre et silencieux.

C'est seulement quand ils furent ressortis sans
encombre qu'elle s'aperçut que la peur l'affectait
physiquement.

« Il faut que je trouve des toilettes... vite ! dit-
elle, haletante.

– Vous avez la nausée ?

– Non, il faut que je fasse pipi. Je suis en train
de me remplir de pisse jusqu'aux oreilles.

– On va retourner au pub. Ce n'est pas loin. »

Agatha se maudit d'avoir été aussi vulgaire, mais
c'est presque au pas de course qu'elle regagna le pub.

« Et maintenant ? demanda-t-elle ensuite, trans-
portée de joie parce que sa peur l'avait quittée et
qu'elle avait pu faire usage des toilettes.

– Vous ne voulez pas savoir ce que j'ai trouvé ?

– Oh que si !

– Alors écoutez. Durant la courte période qu'il
a passée à Carsely, Paul Bladen a effectué plusieurs
dépôts sur son compte : l'un de vingt mille livres,
un deuxième de quinze mille, un troisième de neuf
mille, un autre de quatre mille, puis quatre dépôts
de cinq mille et enfin, un de cinq cents. Sans compter ses revenus de vétérinaire.

– Qui lui a versé ces sommes ?

– Voilà le hic : ce n'était pas écrit. Mais j'ai

réfléchi. J'aimerais pénétrer chez lui. On pourrait y aller ce soir.

– Dernières commandes, s'il vous plaît, messieurs-dames, merci ! lança le barman.

– Il est si tard que ça ! s'exclama Agatha. On pourrait se mettre en route tôt demain matin et…

– Non, ce soir », décréta James. Il regarda le manteau rouge cerise d'Agatha. « Il nous faut des vêtements sombres. »

Quel est ce monstre que j'ai libéré ? se demanda-t-elle en observant le visage animé de son voisin. Elle pouvait très bien lui dire d'y aller seul. Mais comment résister à ce frisson d'aventure, une aventure qui pourrait conduire à… Ils avançaient à tâtons dans le noir, dans la maison de Paul Bladen. « Qu'est-ce que c'est ? s'écriait James en l'empoignant. Rien, murmurait-il ensuite sans la lâcher. Votre parfum sent divinement bon. Oh, Agatha ! » Et il approchait ses lèvres des siennes.

« Agatha ! Arrêtez de rêvasser et filons d'ici », fit-il d'un ton brusque. Elle chassa la vision dorée d'un battement de paupières, vaguement irritée que James ait rompu le charme avant de l'embrasser.

De retour à son cottage, elle enfila un pantalon et un pull noirs. Elle se demanda s'il attendait d'elle qu'elle se noircisse la figure. Elle verrait bien.

Il sonna chez elle à une heure du matin. Il portait lui aussi un pantalon et un pull noirs. « On va faire jaser dans les chaumières ! dit-il gaiement. J'espère juste que personne ne m'aura vu vous rendre visite à cette heure de la nuit. » Et Agatha, pensant à Freda, espéra de toute son âme que si.

James, qui s'était contenté d'eau minérale lors de leur précédente visite au pub, décida de reprendre le volant. Pelotonnée sur son siège, elle s'imagina qu'ils partaient en lune de miel.

« Par mesure de sécurité, dit James, on va se garer une rue plus loin et on finira à pied. »

La maison de Paul Bladen, silencieuse et tous volets fermés, se dressait dans une rue de villas victoriennes. Elle se rappela sa première visite et se dit qu'elle avait bien fait de s'enfuir.

James scruta la rue plongée dans le silence et bordée de cerisiers en pleine floraison. Un souffle de brise agita les arbres, et des fleurs tombèrent en cascade autour d'eux. « N'est-ce pas triste, se lamenta-t-il, que toute cette beauté soit éphémère ?

– Et comment ! répondit-elle nerveusement. Mais si vous restez planté là trop longtemps à admirer les fleurs, quelqu'un va nous voir. »

Il poussa un petit soupir, et elle se demanda s'il regrettait de ne pas être avec quelqu'un qui partagerait son amour du Beau.

« Comme il n'y a personne dans les parages, chuchota-t-il, je pense qu'on devrait aller directement à la porte d'entrée. Une fois dans l'obscurité du porche, on sera pas mal protégés.

– Pourquoi avoir pris la peine de mettre des vêtements sombres si ce n'est pas pour entrer furtivement par-derrière ?

– Parce que ça va peut-être me prendre un petit peu de temps d'ouvrir la porte. Si on est habillés en noir, il y a moins de risque de se faire remarquer par un éventuel passant. »

Lorsqu'ils furent à l'abri sous le porche, il braqua brièvement le faisceau de sa lampe-stylo sur la porte, puis l'éteignit. « Une serrure à barillet, constata-t-il avec satisfaction. Magnifique vitrail sur la porte. Je me demande si Peter Rice est au courant qu'on peut tirer pas mal d'argent de ces vitraux victoriens, aujourd'hui.

– Allez, au travail ! » ordonna Agatha en lançant un regard inquiet par-dessus son épaule.

Ils entendirent alors des bruits de pas avançant lentement dans la rue.

« Mettez-vous dans un coin, détournez la tête de la rue et ne faites pas un geste ! » siffla James.

Ils se figèrent.

Les bruits de pas se rapprochèrent, s'arrêtant de temps à autre. « Allez, Spot ! » fit une voix d'homme irritée. Quelqu'un qui promenait son chien.

Agatha sentait des perles de sueur dégouliner sur sa figure.

Et alors, avec horreur, elle entendit un léger bruit de pattes derrière elle, puis un chien lui renifla les chevilles, et son maître commença à remonter l'allée du jardin.

« Sors de là ! » cria l'homme d'un ton sec. *Mon Dieu, s'il vous plaît*, pria Agatha, *tirez-moi de ce mauvais pas et je promets de ne plus jamais être vilaine !*

Le chien repartit en trottinant. « Je t'attache, maintenant », fit la voix du maître. Ces paroles furent suivies d'un clic métallique, puis les bruits de pas quittèrent lentement le jardin et s'éloignèrent dans la rue.

« Pfiou ! fit Agatha. On l'a échappé belle. On aurait dû faire semblant d'être un couple d'amoureux, ajouta-t-elle pleine d'espoir. Comme ça, s'il nous avait vus, il aurait vite changé de direction.

– Au contraire. Rien n'exaspère plus le banlieusard que la vue d'un couple qui se bécote sur la propriété d'un autre. »

Sur ce, il sortit un trousseau de fins outils métalliques.

« D'où est-ce que vous sortez ça ? Vous n'êtes pas un cambrioleur à la retraite, tout de même ?

– Un gars de mon régiment. Maintenant, taisez-vous pendant que je me mets au boulot. »

Elle resta plantée là, piaffant d'impatience. Elle espérait que le déodorant dont on voyait des publicités partout était efficace. James essaya les outils un à un, jusqu'à ce qu'un léger cliquetis retentisse.

Une seconde plus tard, elle se trouvait dans l'entrée où elle avait paniqué devant Paul Bladen. « Bien, dit James sans baisser la voix. Les lampadaires de la rue répandent pas mal de lumière et les rideaux ne sont pas fermés. Nous cherchons donc quelque chose comme une pièce de travail ou un bureau. »

Agatha ouvrit une porte. « J'explore ce côté, dit-elle, vous l'autre. »

Elle distingua vaguement que les fenêtres de la pièce dans laquelle elle se retrouvait donnaient sur le jardin, à l'arrière de la maison, au bout duquel passait une ligne de chemin de fer. Elle se déplaça avec précaution dans l'obscurité, cherchant à tâtons un bureau. Ce devait être le salon – canapé, table basse, fauteuils. Brusquement, un train en direction d'Oxford arriva avec fracas, avant de s'arrêter petit à petit. Elle s'accroupit. Les lumières des wagons entraient droit dans la pièce. Quelques passagers lisaient, d'autres regardaient par les vitres d'un air absent. Puis, avec un rugissement rauque, le train se remit en branle, prit lentement de la vitesse et disparut en grondant dans la nuit.

Elle se releva. Alors qu'elle se dirigeait vers la porte, les jambes flageolantes, elle buta sur quelque chose et s'écroula par terre en poussant un juron.

James accourut. « Essayez de ne pas faire de bruit, Agatha ! fit-il avec impatience. J'ai trouvé le bureau. Suivez-moi. De l'autre côté de l'entrée.

– Ça va, merci. Je ne me suis pas fait mal, répondit-elle d'un ton sarcastique. J'ai renversé un truc. »

Il braqua le faisceau de la lampe sur le sol. Un porte-revues gisait sur le côté, au milieu de papiers et de magazines éparpillés. « On aurait pu penser que Rice jetterait tout ça, se plaignit-il, remettant tout en place après avoir redressé le porte-revues. On ne peut pas dire que ça ajoute de la valeur à la maison. »

Ils traversèrent l'entrée à pas de loup, avant de pénétrer dans la pièce opposée. James se dirigea vers un bureau placé à côté de la fenêtre et se mit à ouvrir les tiroirs en douceur. « Rien ici, marmonna-t-il. Peut-être plus bas. » Il ouvrit le tiroir du bas puis, tâtonnant, trouva quelque chose tout au fond. Il sortit un dossier. « Venez avec moi dans le hall, que je puisse éclairer ça avec ma lampe. »

Dans l'entrée, le fin pinceau de lumière révéla des livrets bancaires, un livret de dépôt, ainsi que des relevés de comptes, rangés dans le dossier en carton.

« Autant sortir d'ici et emporter ça à la maison, dit James.

– Personne ne risque de s'en apercevoir ?

– Non. Peter Rice a dit qu'il avait brûlé tous les papiers. Ceux-là étaient coincés au fond du tiroir du bas. Il n'a pas dû les voir. »

Agatha, ravie d'être enfin ressortie au grand air, descendait l'allée du jardin en sautillant gaiement lorsqu'elle trébucha sur un obstacle et tomba de tout son long. Un juron fusa de sa bouche, un jappement de douleur canine retentit, puis la satanée voix de tout à l'heure cria : « Spot ! »

Le chien rejoignit son maître. James aida Agatha à se relever.

« Qu'est-ce qui se passe ici ? » fit la voix du propriétaire du chien.

James et Agatha gagnèrent le portail. Un homme se tenait sous un réverbère, avec un petit chien blanc dans les bras, le visage crispé par la méfiance.

« Vous avez donné un coup de pied à mon chien ? demanda-t-il d'un ton courroucé.

– Mon épouse a trébuché sur votre chien dans le noir, répondit James avec froideur.

– Vraiment ? Et qu'est-ce que vous faites ici à une heure pareille ?

– Je ne vois pas en quoi cela vous regarde, mais mon épouse et moi jetions un coup d'œil à notre nouvelle maison. Nous venons de faire une offre pour cette villa, alors je profite de cette occasion pour vous demander de tenir votre animal en laisse afin qu'il ne s'égare pas sur les propriétés privées. Allons-y, Agatha. »

Agatha, par trop consciente de la curieuse allure qu'ils devaient avoir dans leurs vêtements noirs, passa à côté du propriétaire du chien en arborant un timide sourire.

Elle sentait son regard soupçonneux vrillé dans leurs dos tandis qu'ils se dirigeaient vers la voiture.

« Rentrons, décida James. J'ai une furieuse envie de jeter un œil à ces relevés de comptes. Quel horrible individu ! Quel genre d'homme peut bien errer dans les rues avec son chien à une heure pareille, hein ? Probablement un maniaque sexuel. »

Agatha eut un petit rire.

« Ce n'est sans doute qu'un respectable citoyen insomniaque, ou alors son chien est incontinent, et il doit être en ce moment même en train de se demander qui sont ces gens qui ont décidé de visiter une maison au beau milieu de la nuit !

– Tout ça, c'est de votre faute. Vous devriez regarder où vous mettez les pieds.

– Comment est-ce que j'aurais pu savoir que ce foutu chien serait là ?

– Je ne sais pas, mais vous ne portez jamais de chaussures adaptées, vous passez votre temps à boiter, à buter partout et à vous ramasser.

– Serions-nous en train d'avoir notre première dispute ? » demanda tendrement Agatha.

Un long silence suivit. Puis James répondit : « Je suis désolé. Je suis un peu tendu. Je n'aurais pas dû m'en prendre à vous. Le truc, c'est que je n'ai pas l'habitude de commettre des cambriolages.

– Vous êtes pardonné.

– Je ne cherchais pas à me faire pardonner, juste à m'expliquer.

– Alors pourquoi avoir dit que vous étiez désolé ? »

Ils continuèrent à se chamailler tout le long du chemin, mais aucun des deux ne put se résoudre à se retrancher dignement dans son cottage avant d'avoir examiné le contenu du dossier.

Ils se rendirent donc chez James. Il alluma le feu, qu'il avait déjà préparé, puis s'assit dans un fauteuil d'un côté de la cheminée tandis qu'Agatha prenait le fauteuil d'en face.

« Ah ! voilà le livret de dépôt, dit James. Grands dieux !

— Quoi ? Qu'est-ce que vous avez trouvé ?

— Un chèque de Freda a été encaissé... Vingt mille livres.

— C'est ça, la libération de la femme ! gloussa méchamment Agatha. Ça n'arrive pas souvent que ce soit la femme qui paie l'homme.

— Voyons quelles sont les autres : quinze mille livres de Mrs. Josephs, neuf mille de Miss Webster, quatre mille de Mrs. Parr, quatre dépôts de cinq mille, tous de Freda, et cinq cents livres de Miss Simms. Oh ! et quatre mille de Mrs. Mason.

— Freda ! s'exclama Agatha d'un air victorieux. Est-ce que vous vous rendez compte que les montants qu'elle a payés à Bladen se montent à quarante mille livres ? N'importe quelle femme à qui on a escroqué une telle somme aurait des envies de meurtre ! »

James avait l'air mal à l'aise.

« Je connais plutôt bien Freda. Elle a l'air extrêmement riche...

— Personne ne l'est à ce point », fit remarquer Agatha.

Il s'étira et bâilla.

« Je suis fatigué. Mieux vaut en rester là pour ce soir. Que faire de tous ces documents ? Les remettre demain à la police ?

« – Et être obligés d'expliquer comment on se les est procurés ? demanda Agatha d'un air horrifié.

– On pourrait dire qu'on visitait la maison.

– Et l'agence immobilière ferait remarquer qu'on ne l'a jamais contactée.

– Très bien. On ira leur parler demain. Il vaudrait mieux que vous me laissiez m'occuper de Freda. »

Agatha se mit à réfléchir intensément à la façon dont elle pourrait le dissuader d'aller voir Freda seul, puis décida d'attendre le lendemain.

Mais finalement, ce fut elle qui eut affaire à la maîtresse du jack russell.

Au matin, elle eut toutes les peines du monde à sortir d'un profond sommeil en entendant résonner dans ses oreilles le bruit de sa sonnette.

Elle enfila une robe de chambre, fourra ses pieds dans des pantoufles et descendit ouvrir la porte. Freda se dressa devant elle, tenant délicatement dans ses bras son bruyant cabot.

« James est là ? demanda-t-elle, joviale. Il ne répond pas à mes coups de sonnette.

– Non, mais entrez donc, et ne laissez pas votre chien approcher de mes chats.

– D'accord, de toute façon, je crois que j'ai deux mots à vous dire. »

Agatha précéda Freda dans la cuisine, apercevant au passage son reflet dans le miroir de l'entrée : cheveux ébouriffés, visage non maquillé. Sa visiteuse, au contraire, avait l'air aussi fraîche et fragile qu'un personnage d'un tableau de Fragonard. Freda s'assit à la table de la cuisine, posa son chien par terre et croisa ses longues jambes tandis qu'Agatha allait ouvrir la porte de derrière pour faire sortir ses chats dans le jardin.

« Vous n'arrêtez pas de courir partout avec James depuis quelque temps, commença Freda. Il est un peu trop bonne pâte. Vous ne devriez pas abuser de sa générosité.

– Et qu'est-ce que c'est censé vouloir dire, en clair ?

– Il a été harcelé par toutes les vieilles biques du village, vous n'avez pas remarqué ? Je l'ai prévenu que ces épouvantables ménopausées se faisaient souvent des idées. Fichez-lui la paix.

– Écoutez, espèce d'assassin, siffla Agatha, ce n'est pas parce que vous vous êtes laissé tringler par Paul Bladen sur la table d'examen que vous êtes Cléopâtre. En plus, vous avez dû banquer pour obtenir ses faveurs, pas vrai ? Quarante mille livres, pour être exacte. »

À cet instant, la sonnette retentit, Freda bondit sur ses pieds et courut comme une flèche pour aller ouvrir, son cabot jappant sur ses talons. Agatha la rejoignit à temps pour la voir se jeter dans les bras de James en sanglotant : « Quelle affreuse bonne femme ! Elle vient de m'accuser de meurtre !

– Allons, allons, répondit James, personne ne vous accuse de quoi que ce soit. » Il se dégagea de son étreinte et regarda Agatha : « Vous lui avez demandé, pour l'argent ? »

Freda poussa un petit cri. « Vous n'avez pas le droit de fouiner dans mes affaires ! Je vais le dire à la police. » Sur quoi, elle fonça dehors et remonta l'allée en trombe, suivie par son chien.

« Qu'est-ce que vous avez dit, Agatha ? demanda James.

– C'est elle qui a commencé à m'insulter. Elle a dit... » Agatha se mordit la langue. Elle ne voulait surtout pas mettre dans la tête de James l'idée qu'elle faisait partie des femmes ménopausées qui entretenaient des fantasmes à son sujet. « Peu importe, elle a été ignoble. Alors, je l'ai accusée d'avoir donné de l'argent à Bladen. Ensuite, vous avez sonné et elle est allée ouvrir.

– Zut ! Vous feriez mieux de vous habiller, Agatha, qu'on puisse officiellement jeter un coup d'œil à cette foutue maison, avant d'apporter le dossier à Bill Wong comme si on venait de le trouver. »

En route pour Mircester, Agatha demanda brusquement : « Est-ce que Bladen les faisait chanter ? Après tout, l'importance des sommes versées est relative : cinq cents livres, c'est une véritable fortune pour Miss Simms.

– Oui, mais elle est célibataire, et Miss Webster aussi. Quant à Freda, elle est veuve. Elle n'a pas eu l'air troublée pour un sou en apprenant qu'on avait découvert qu'elle avait une liaison avec Bladen, alors comment aurait-il pu la faire chanter ? »

À l'agence immobilière, au lieu de leur donner les clés, une jeune femme du nom de Wendy déclara qu'elle allait les accompagner. C'était une fille joviale du genre BC-BG, qui n'arrêta pas de leur parler pendant la visite, alors qu'ils se demandaient comment se débarrasser d'elle afin de pouvoir faire croire qu'ils venaient de trouver le dossier. James finit par déclarer : « Nous aimerions rester seuls pour pouvoir discuter en privé », à quoi Wendy, au grand soulagement d'Agatha, répondit : « O.K. Rapportez les clés à l'agence quand vous aurez terminé », avant de partir comme une flèche.

Ils décidèrent de procéder à une fouille minutieuse de la villa, dans l'espoir de découvrir des lettres ou des documents, mais il n'y avait rien. Dans le jardin de derrière, ils trouvèrent un vieux fût en métal percé de trous, qui avait manifestement été utilisé pour brûler des détritus. La mine sombre, James remua le contenu à l'aide d'un bâton. « C'est là que Rice a brûlé les papiers, mais manque de veine, il a fait ça très bien. Pas un petit bout de papier qui ne soit carbonisé, pas un petit bout de texte lisible. Oh, et puis, tant pis, allons voir Bill Wong ! »

Au commissariat, Bill Wong examina les documents de la banque et le livret de dépôt, puis leva les yeux sur eux, une lueur rusée dans le regard.

« Un homme a téléphoné au milieu de la nuit pour signaler que deux personnes habillées en noir étaient entrées dans la maison de Paul Bladen. Elles lui ont dit qu'elles l'avaient achetée. Ce ne serait pas vous, par le plus grand des hasards ?

– Nous ? s'exclama James. Si ça avait été le

cas, et si nous avions trouvé ce dossier, nous vous l'aurions immédiatement apporté !

– Je me le demande ! Il faut arrêter de vous mêler de ce qui ne vous regarde pas. Oui, je sais. Je vous suis reconnaissant pour ces documents, et toutes ces femmes seront interrogées... par la police. Et si jamais je découvre que vous avez continué votre enquête amateur, je me verrai contraint de m'intéresser de plus près à l'identité du couple qui a été vu chez Bladen la nuit dernière. Est-ce que je me suis bien fait comprendre ?

– Oui, très bien », répondit Agatha avec humeur.

« Voilà tous les remerciements auxquels on a droit ! se plaignit-elle sur le chemin du retour à Carsely.

– D'une certaine façon, je suis soulagé. Eh bien, je n'ai plus qu'à me remettre à écrire ! »

Il y eut un long silence. Puis Agatha reprit : « Il faut que je paye mon adhésion à la Société des dames de Carsely, ce qui implique de me rendre chez Miss Simms. Vous voulez venir ? Après tout, Bill ne peut pas nous empêcher de poser quelques petites questions, en bons voisins. Zut alors ! Il ne peut pas nous empêcher de parler avec les gens du village, tout court !

– Et d'ailleurs, comment l'apprendrait-il ? Après tout, tout le monde rend visite à tout le monde, à Carsely.

– Miss Simms ne rentrera pas de son travail avant ce soir. Essayons d'abord d'aller voir Mrs. Mason. »

8

C'était une journée typiquement anglaise. La pluie tombait sans discontinuer, et les fleurs de cerisier dansaient dans les rigoles entre les vieux pavés de Lilac Lane. Agatha et James s'étaient requinqués en buvant du café et en mangeant quelques sandwiches, mais c'est avec un manque d'enthousiasme qu'aucun ne voulait avouer à l'autre qu'ils se remirent en chemin pour la maison de Mrs. Mason.

Laquelle se montra si accueillante, si persuadée qu'ils lui faisaient une visite de courtoisie qu'il fut difficile d'en venir aux choses sérieuses. « Il faut reprendre de mes célèbres scones, Mr. Lacey. Et ça, c'est de la *vraie* confiture de fraises, pas celle qu'on achète en magasin. La saison des fraises va bientôt commencer. J'espère vraiment que ce temps affreux va finir, pas vous ? » Elle regarda James d'un air malicieux. « On ne parle que de vous et de Mrs. Raisin dans tout le village. Je disais justement au pasteur, l'autre jour, qu'on allait certainement bientôt publier les bans. »

James la fixa avec une horreur sans mélange, oubliant presque la raison de leur visite.

« Mrs. Mason, intervint Agatha, nous ne voulons pas remuer le couteau dans la plaie, mais nous aimerions savoir pourquoi vous avez donné une si grosse somme d'argent à Mr. Bladen.

— Ce ne sont vraiment pas vos affaires », répondit leur hôtesse, interloquée.

Agatha jeta un coup d'œil au salon. Quatre mille livres représentaient une énorme dépense pour quelqu'un comme Mrs. Mason.

« Nous sommes venus vous prévenir que la police est sur le point d'enquêter là-dessus, fit remarquer James.

— Alors je parlerai à la police quand elle se présentera. Mais comment l'avez-vous découvert ?

— Agatha et moi jetions un coup d'œil à la villa de Paul Bladen, qui est en vente, et nous sommes tombés sur ses relevés de comptes et son livret de dépôt. Nous les avons donnés à la police. »

Mrs. Mason étudia James, une lueur maligne dans les yeux. « Ainsi donc, vous et Mrs. Raisin visitiez une maison tous les deux. Hé ! Hé ! on dirait bien qu'il y a de l'amour dans l'air. C'est très réconfortant, vraiment. Ça montre qu'on n'est jamais trop vieux. »

Ces paroles eurent l'effet escompté : James se leva et se dirigea vers la porte.

Agatha le suivit dehors, l'âme en peine. Il monta en voiture sans lui ouvrir la portière, puis fixa la pluie dégoulinant sur le pare-brise d'un air morose. Elle grimpa sur le siège passager.

« Il y en a marre de toutes ces commères ! s'écria-t-il en tapant sur le volant. Vous, moi, c'est ridicule, bordel !

– Oh, oui ! C'est tordant ! répondit-elle sèchement, même si son cœur souffrait. Elle n'a dit ça que pour se débarrasser de vous, et ça a marché ! »

Le visage de James s'éclaira. « Ah ! c'était donc ça. Qu'est-ce que j'ai été naïf !

– Vous êtes vraiment trop susceptible sur ce sujet. Je suis convaincue qu'il suffit que vous rencontriez une femme par hasard pour être persuadé qu'elle vous court après. »

Il eut un rire embarrassé. « Bon, et si nous allions plutôt tenter notre chance auprès de cette Webster ? »

Ils trouvèrent Josephine Webster en pleine discussion avec un couple de touristes américains trempés qui essayaient de marchander le prix d'une composition de fleurs séchées.

« Le prix est indiqué dessus ! s'écria Miss Webster au comble de l'exaspération. Vous n'êtes pas dans un bazar, ici.

– Vous pouvez discuter le prix des marchandises chez un antiquaire, expliqua gentiment James aux touristes, mais dans la plupart des autres commerces, vous devez payer le prix indiqué.

– Ah oui, vraiment ? »

Là-dessus, une conversation aimable s'engagea entre lui et les Américains au sujet de leur voyage,

Miss Webster retourna à son bureau, et Agatha contempla la grand-rue par la fenêtre. Elle n'avait aucune envie de questionner la fleuriste en présence des deux touristes.

« Je ne supporte pas les Américains, déclara hargneusement Miss Webster quand ils furent sortis. Ils passent leur temps à se plaindre.

– Ce n'est pas de leur faute, répondit James. Ils ont le sentiment qu'ils doivent se protéger. Beaucoup de gens pensent que les Américains sont cousus d'or. Mais ce couple, par exemple, a économisé toute sa vie pour ce seul voyage. Ils doivent faire très attention à tout ce qu'ils dépensent, et en plus, on les a sans doute prévenus, chez eux, que tous les étrangers allaient essayer de les rouler.

– Mais nous ne sommes pas des étrangers ! protesta Miss Webster. Nous sommes des Britanniques. »

James eut un sourire. « À propos d'argent, nous nous demandions pourquoi vous avez fait don d'une si grosse somme à Paul Bladen. »

La figure de la fleuriste vira au blanc, puis au rouge. « Fichez le camp d'ici ! cria-t-elle d'une voix perçante. Dehors ! » Elle s'empara d'un bouquet de fleurs séchées et l'agita dans leur direction, telle une ménagère chassant des chats avec son balai.

« Décidément, on n'arrive à rien ! déclara James d'un air lugubre une fois qu'ils eurent battu en retraite. Est-ce que vous voulez retourner chez Mrs. Parr ?

– Du moment que sa brute de mari n'est pas dans les parages. »

Mrs. Parr, cependant, ne leur ouvrit pas la porte. Il y eut un frémissement de rideau, puis ils aperçurent brièvement les contours flous d'un visage derrière la vitre, mais la porte resta résolument fermée.

« On va être à court de suspects, dit James. Peut-être que je devrais rendre visite à Freda. Si j'y allais seul…

– Non ! s'empressa de répondre Agatha. Pourquoi ne pas plutôt retenter le coup avec Miss Mabbs ? Lui dire qu'on sait que Bladen recevait de l'argent de toutes ces femmes ? Lui poser encore quelques questions ?

– Bon, d'accord. Mais je ne veux pas être obligé d'attendre l'ouverture de la boîte de nuit.

– On la trouvera à son travail. Elle a dit qu'il s'agissait d'un chenil "sur la route de Warwick". Je vais chercher dans les pages jaunes avant de partir. »

Enfin, armés du nom d'un chenil situé entre Leamington Spa et Warwick, ils se mirent en chemin.

La pluie se calmait peu à peu pour faire place à un soleil jaune pâle.

Ils trouvèrent le chenil assez facilement. Ça aboyait, ça hurlait pitoyablement, et l'air humide sentait le chien mouillé.

Ils entrèrent dans une hutte en bois faisant office de bureau et demandèrent à parler à Cheryl Mabbs.

L'homme assis derrière son bureau leva vivement les yeux. « Vous êtes des amis à elle ?

– Oui », répondit James.

L'autre se leva. C'était un homme petit, râblé, aux cheveux gris et aux lunettes sans monture. « Alors, vous savez parfaitement où la trouver. Sortez.

– Si nous savions où la trouver, dit James, nous ne serions pas venus la chercher ici. Est-ce qu'elle travaille chez vous ou pas ? »

Agatha eut une inspiration soudaine. Elle passa devant James et se risqua d'une voix douce : « Je crains que nous ne vous ayons induit en erreur, mais nous n'aimons pas annoncer qui nous sommes partout où nous allons. Nous sommes des services sociaux.

– Ah ! fit l'homme en se laissant retomber sur sa chaise. Il fallait le dire. Enfin, ça ne m'empêche pas d'être en colère contre vous. J'avais eu une recommandation de votre part, comme quoi elle était réglo. »

Bien que son cœur battît la chamade, Agatha affecta une grande lassitude.

« Qu'est-ce qu'elle a fait, cette fois ?

– Ils ne vous l'ont pas encore dit, hein ? Pouah ! Voilà ce que c'est, la bureaucratie ! Le pays entier croule sous une hiérarchie stupide et paperassière.

Elle a fracturé la réserve à médicaments, voilà ce qu'elle a fait.

– Est-ce qu'il y avait de l'adrénaline dedans ? demanda James avec impatience.

– Oui, bien sûr, mais franchement, ça aurait été plus intéressant pour elle de dévaliser un médecin ou une pharmacie, à moins qu'elle cherche à soigner la sclérose des coussinets et la maladie de Carré. J'ai tout de suite appelé les flics, ils sont allés à sa piaule et ils ont trouvé la came. Enfin, ce qu'il en restait. Elle avait refourgué les comprimés dans une boîte de Leamington en affirmant que c'était une nouvelle variété de pilule du bonheur. Je pense que la jeunesse de la ville a eu sa dose de vermifuge. »

Agatha et James mouraient d'envie de poser des questions sur les antécédents de Cheryl Mabbs, mais en tant qu'assistants sociaux, ils étaient censés les connaître.

« Quelle idiote ! Je m'appelle Bob Picks, au fait. Cette fille était douée avec les bêtes. Qu'est-ce qu'elle a eu besoin d'aller foutre en l'air sa carrière ? Les jeunes, de nos jours, je vous demande un peu ! »

Ils le quittèrent tandis qu'il se lamentait toujours sur l'inconséquence de la jeunesse.

« Bon, fit Agatha une fois dehors, voilà d'où l'adrénaline a pu provenir. Zut ! Impossible de nous adresser à la police, Bill Wong pourrait apprendre que nous continuons à poser des questions.

– Tous ces suspects ! déplora James. J'ai une idée : allons chez elle. Elle a peut-être été libérée sous caution, ou alors son petit ami pas charmant du tout y sera peut-être. »

Agatha acquiesça en silence, même si elle se sentait déprimée, tout à coup. Elle ne pouvait pas s'empêcher de se rappeler combien il avait paru choqué et horrifié en entendant suggérer qu'il pourrait y avoir une idylle entre elle et lui. Le soleil brillait, éclairant les mèches grises de sa chevelure noire et faisant ressortir les rides profondes de part et d'autre de son nez. À cet instant, il était loin d'être aussi beau que d'habitude, et elle en tira un peu de réconfort.

Ils roulèrent jusqu'à Blackbird Street et se garèrent devant la porte menant à l'étage où habitait Miss Mabbs.

Après avoir gravi l'escalier, ils appuyèrent sur la bonne sonnette, cette fois. Ils attendirent longuement avant d'entendre un bruit de pas se rapprocher de la porte, qui s'entrouvrit.

« Ah ! c'est vous, fit Jerry, le petit ami de l'assistante vétérinaire. C'est quoi qu'vous voulez ?

– Où est Miss Mabbs ?

– Au trou.

– Pouvons-nous entrer ? Nous aimerions vous poser quelques questions. »

La porte s'ouvrit plus grand, et ils se retrouvèrent face à la mine de renard de Jerry qui les dévisageait.

« C'est pas gratos.

– Dix livres, soupira James, comme la dernière fois.

– Topez là ! Pas ici. J'vous retrouve au pub. Au Fevvers. »

« Au quoi ? demanda James à Agatha en redescendant l'escalier.

– Il voulait parler du pub, le Feathers.

– Ah ! Le pub pour vieux. Celui où on est allés la dernière fois. J'en ai marre de l'eau minérale. Je vais essayer le jus de tomate, ce coup-ci. »

Le pub avait toujours le même air fatigué et poussiéreux. Des grains de poussière flottaient dans les rayons de soleil entrant par les fenêtres. Dans un coin de la salle, un vieil homme somnolait paisiblement devant sa bière.

James commanda un jus de tomate pour lui et un gin tonic pour Agatha.

Ils passèrent le temps en discutant à bâtons rompus des différents suspects. Agatha aurait aimé débattre de la possibilité que Freda soit l'assassin. Après tout, c'était elle qui avait donné le plus d'argent. Mais les traits de James se crispaient à la moindre évocation de son nom.

Il alla au comptoir commander de nouvelles boissons. « Je pense que notre jeune ami ne va pas venir, dit-il. On ferait peut-être mieux de retourner chez lui pour voir. »

À cet instant, la porte du pub s'ouvrit, et six jeunes entrèrent. Blousons de cuir et jeans, cheveux en brosse, air méchant sur leurs faces blafardes. Le chef repéra James et Agatha, et hocha brusquement la tête à l'intention de ses acolytes.

« Ça sent les ennuis, fit James.

— Ta tête me revient pas, dit le chef, une chaîne de vélo pendant à sa main tatouée. Alors, je vais te refaire le portrait. »

Agatha lança des regards éperdus à la ronde en quête d'assistance. Le barman avait disparu, le vieux continuait à dormir.

James rejeta la tête en arrière et cria : « À l'aide ! À l'aide ! À l'assassin ! » C'était un cri affreux, assourdissant et choquant, un véritable beuglement. On aurait dit qu'il venait de lancer une grenade au milieu du groupe : les jeunes se ruèrent vers la porte, puis sortirent en se bousculant, tandis que James continuait à pousser ses cris terribles. Le vieux buveur de bière se réveilla et le fixa avec stupéfaction.

« Tout va bien, dit Agatha, pâle comme un linge. Ils sont partis.

— Rien ne vaut un bon cri d'appel au secours, fit James en lui décochant un sourire. C'est ce que je dis toujours. Allons régler son compte à notre jeune Jerry.

— Qu'est-ce qu'il a à voir là-dedans ? Oh ! vous pensez qu'il sait que Cheryl Mabbs est coupable des meurtres et qu'il a envoyé ses amis pour nous faire taire !

— Très romantique. Non, je pense seulement

que notre ami a téléphoné à ses copains pour leur dire qu'il y avait un connard de riche au pub, avec une poignée de billets à rafler. J'ai hâte de le revoir, celui-là ! »

Une fois de plus, ils se retrouvèrent devant la porte miteuse, et une fois de plus, James appuya sur la sonnette.

« Qui c'est ? fit la voix méfiante de Jerry.

– J'y ai pris son fric à c'pauv'con », répondit James dans une sorte de grognement.

La porte s'ouvrit en grand. En les voyant, Jerry essaya de la leur claquer au nez, mais James la bloqua avec son épaule et parvint à entrer. Il donna une grosse claque à Jerry sur une joue, puis sur l'autre. Ensuite, le prenant par la peau du cou, il dit : « Ton appart, il est où ? Il est temps qu'on ait une petite discussion.

– Me faites pas mal, glapit Jerry. J'ai rien fait, moi.

– C'est laquelle, ta porte ? »

Jerry indiqua une porte restée ouverte. James le poussa à l'intérieur. « Maintenant, avant que je commence vraiment à te cuisiner, pourquoi est-ce que tu as envoyé tes amis nous foutre une raclée ?

– C'est pas moi ! »

Un petit chauffage électrique à infrarouge était allumé devant une cheminée vide. James tordit le bras de Jerry, le ramena dans son dos puis poussa sa figure en direction de la barre incandescente. « Parle, tant que tu as encore un visage.

– D'accord, j'vais vous dire ! »

James le poussa dans un fauteuil et resta debout au-dessus de lui.

« J'y ai téléphoné à Syd, qu'y dise aux gars qu'y avait d'la tune à récolter sur un couple au Fevvers, c'est tout. Voyez, ch'sais que dalle sur Cheryl. Non, non ! cria-t-il lorsque James se pencha sur lui, menaçant. C'est la vérité, je l'jure devant Dieu ! C'est elle qu'a eu l'idée de voler les médocs au chenil. Pour se faire un peu de blé. Elle dit qu'à la boîte, les junkies y z'acheteraient n'importe quoi. J'mens pas ! »

Il n'arrêtait plus de parler, suppliant, expliquant à n'en plus finir. En fin de compte, il s'avéra qu'il ne connaissait pas encore Cheryl quand elle travaillait à Carsely.

James se détourna de lui d'un air dégoûté.

Une fois dehors, Agatha jeta un coup d'œil nerveux à droite et à gauche. « On devrait appeler les flics, dit-elle.

– À votre place, je ne le ferais pas. » James déverrouilla la portière de sa voiture. « Ça pourrait nous trahir. En fait, on ferait mieux de filer d'ici, au cas où le gars du chenil nous aurait démasqués. »

Lorsqu'ils eurent regagné Carsely, James déclara : « Je vais nous préparer un casse-croûte, ensuite on ira dire deux mots à Miss Simms. »

Agatha se dérida. « Je vais passer chez moi

donner à manger aux chats et les faire sortir dans le jardin. Ils sont restés enfermés presque toute la journée. »

Les chats lui réservèrent un accueil enthousiaste. Elle s'assit brusquement et les regarda manger. Elle se sentait toute faible, chancelante, au bord des larmes. Elle avait eu une sacrée frousse au pub. Bill Wong avait raison. Il fallait laisser ces choses-là à la police. Mais si elle abandonnait l'enquête, James l'abandonnerait, elle, pour retourner à l'écriture de son livre.

Elle fit sortir les chats dans le jardin, les regarda s'ébattre un moment, puis gagna le cottage voisin.

« Je nous ai installés dans la cuisine pour manger, dit James en ouvrant la porte. Par ici. »

Agatha regarda de tous ses yeux autour d'elle. C'était une pièce chaude et joyeuse. Au milieu, quelques chaises élégantes à haut dossier entouraient une table carrée en bois cérusé. Un gros bouquet de jonquilles se dressait sur l'appui de fenêtre. Le dîner se composait de jambon et d'une excellente salade, accompagnés d'une bouteille de mâcon blanc frais.

Elle observa son compagnon à la dérobée pendant qu'il mangeait avec l'attention soutenue qu'il accordait à tout sauf à elle. « Il est temps, dit-il enfin en repoussant son assiette, que nous notions chacun de notre côté toutes les informations que nous possédons sur tout le monde. Celui ou celle qui a tué Paul Bladen et Mrs. Josephs a perpétré ces meurtres dans un accès de panique ou de rage, sous l'effet d'une impulsion. Mais d'abord, voyons ce que nous pouvons tirer de Miss Simms. »

Miss Simms habitait dans le lotissement de logements sociaux, près de chez Mrs. Parr. Elle leur ouvrit la porte et leur dit gaiement : « Je viens de finir de baigner les mômes. J'arrive dans une minute.

— Je ne savais pas qu'elle avait des enfants, chuchota Agatha quand ils furent seuls.

— Elle doit être mère célibataire. C'est assez fréquent de nos jours. »

Le séjour était envahi de jouets abandonnés et de livres d'images. Un vieux poste de télévision était allumé dans un coin de la pièce. Les meubles étaient de ceux qu'on achète à crédit et qui vieillissent et se déglinguent avant même le paiement de la dernière échéance.

Miss Simms revint en se tortillant sur les chaussures à talons ridiculement hauts qu'elle portait toujours.

« Un verre ? » proposa-t-elle.

James et Agatha déclinèrent son offre d'un hochement de tête. Puis Agatha regarda James, qui regarda Agatha, et finalement ce fut elle qui se lança : « Nous avons appris que vous aviez payé cinq cents livres à Paul Bladen. Pourquoi ?

— Ce n'est pas très gentil, ça. Oh, non ! pas gentil du tout, se plaignit Miss Simms. Et puis, qu'est-ce que vous en avez à faire, de toute façon ?

– Nous voulons seulement découvrir qui a tué Paul Bladen et Mrs. Josephs, répondit Agatha avec un soupir. Nous avons l'impression que si nous savions pourquoi vous lui avez donné cet argent, cela pourrait nous aider. Les autres lui ont donné des milliers de livres, mais elles refusent de parler. »

Le regard de Miss Simms se fit rusé. « Il y en a eu d'autres ? »

Agatha acquiesça en silence.

Miss Simms poussa un soupir, se cala au fond du canapé et croisa les jambes, sa jupe retroussée dévoilant la bordure d'une culotte en dentelle écarlate. *Je connais bien mal les gens de ce village, en réalité*, songea Agatha. *Je ne savais même pas que Miss Simms avait des enfants. La voiture, voilà la raison. En devenant mobiles, les habitants des villages sont devenus moins curieux de leurs congénères. Il y a ça, et la télévision. Et pourtant, c'est drôle comme les gens vous rebattent les oreilles de leurs histoires du bon vieux temps, quand ils devaient trouver eux-mêmes les moyens de se divertir. Si c'était si bien que ça, pourquoi ont-ils couru acheter une télé dès qu'ils ont pu ?*

La voix de Miss Simms interrompit le cours de ses pensées : « J'aime autant vous le dire, mais ça me rend vraiment folle ; comme quand je repense à la façon dont ce salaud m'a arnaquée. Il m'a invitée dans un restau chic, à Broadway. Il m'a parlé en long et en large de la clinique vétérinaire qu'il espérait créer. Il a dit que si je lui filais du fric, il lui donnerait mon nom. Et qu'il la ferait inaugurer par la princesse Diana. J'ai trop bu, et puis, oh, les choses se sont un peu enflammées ce soir-là, et avant que j'aie pu dire ouf, je lui avais fait un chèque du montant de tout ce que j'avais à la caisse d'épargne. Au bout d'un moment, comme il ne revenait pas me voir, je me suis inquiétée. C'est pas chouette de se faire larguer comme ça. Je suis allée lui poser des questions sur la clinique, mais il a dit qu'il était trop occupé pour en parler. Je lui ai demandé de me rembourser, et là, il est devenu méchant, il a répondu que je lui avais donné cet argent de mon plein gré. Je me sentais tellement stupide. Je bosse dans une boîte d'informatique à Evesham. Je dépense une grosse part de mon salaire pour faire garder mes mômes. J'ai tout raconté à Mrs. Bloxby. Elle m'a dit de demander conseil à Dieu dans mes prières, alors c'est ce que j'ai fait, et devinez quoi !

— Non. Quoi ? demanda James.

— Le lendemain même, Dieu m'a envoyé un nouveau bon ami. Il a une bonne place dans une société de tissus d'ameublement, et il me verse comme qui dirait une pension.

— Vous allez bientôt vous marier, fit James.

— Il l'est déjà, répondit Miss Simms avec un rire, et ça me va très bien. J'aime pas avoir un homme dans les pattes en permanence.

— Est-ce que Mrs. Bloxby connaît le résultat de vos prières ? demanda Agatha avec curiosité.

– Oh oui ! Elle a dit comme quoi les voies du Seigneur sont impénétrables. »

L'épouse du pasteur, songea Agatha, était décidément la délicatesse personnifiée.

« Ce salaud de Paul Bladen m'avait tellement mise en boule, je l'aurais tué, déclara Miss Simms. Enfin, je l'ai pas fait, alors bonne chance à l'assassin.

– Mais il y a aussi eu Mrs. Josephs.

– Je l'avais oubliée, fit Miss Simms d'un air triste. Elle était choute, cette petite vieille. Bon, et maintenant, qu'est-ce que vous diriez d'un verre ? »

Agatha et James acceptèrent joyeusement, maintenant qu'ils ne risquaient plus d'être mis à la porte, et Miss Simms sortit une excellente bouteille de pur malt que lui avait apportée son bon ami. Agatha paya son adhésion à la Société des dames de Carsely, que la jeune femme reporta soigneusement dans le registre de comptabilité.

« Alors, vous allez passer devant l'autel, vous deux ? » demanda-t-elle gaiement.

James reposa son verre. « Aucun danger, répondit-il d'une voix égale. Je suis un célibataire endurci. »

Miss Simms rit. « Pour ça, je ne m'avancerais pas trop, à votre place ! Quand notre Mrs. Raisin a quelque chose en tête, il n'y a pas moyen de l'arrêter. Mrs. Harvey, l'épicière, me disait justement l'autre jour qu'on entendrait bientôt les cloches sonner.

– Elle devait parler de quelqu'un d'autre », répondit Agatha, rouge de confusion.

Quand ils eurent pris congé de Miss Simms et se retrouvèrent dehors, une gêne s'était installée entre eux. Agatha se sentait très fatiguée et au bord des larmes.

« Je crois que je ferais mieux de rentrer me coucher, fit-elle d'une petite voix qui tranchait avec ses intonations vigoureuses habituelles.

– Ne le prenez pas si mal, dit James d'une voix douce. Ils vont continuer à parler de nous, puis quand ils verront qu'il ne se passe rien, les commérages se tairont d'eux-mêmes. »

Mais je veux qu'il se passe quelque chose, moi ! gémit le cœur d'Agatha, et, avec horreur, elle sentit une grosse larme s'échapper de son œil et couler le long de son nez.

« Vous avez eu une sale journée. J'ai une idée : on va aller au Red Lion, je vais vous commander un petit remontant, et après, au lit ! »

À quoi Agatha répondit par un sourire larmoyant.

Le pub était merveilleusement calme, seuls quelques habitués étaient accoudés au comptoir. James et Agatha emportèrent leurs boissons à une table au coin du feu.

C'est alors que Freda entra, flanquée d'un homme. Dans son tailleur vert pâle et son corsage de soie blanche, elle avait l'air aussi calme et fraîche qu'une laitue. Son compagnon, un homme à la face rougeaude et aux cheveux argentés, portait un pantalon de flanelle et un blazer. Ils commandèrent à boire. Puis, en tournant la tête à demi, Freda aperçut James et Agatha. Elle murmura quelques mots à son cavalier, qui partit d'un gros rire hennissant en les dévisageant avec insolence.

James prenait un air absent alors que tout son corps se tendait. *Mon Dieu, s'il vous plaît, faites qu'il ne soit pas jaloux !* pria-t-elle intérieurement, tout en se demandant pourquoi elle continuait de s'adresser à un Dieu auquel elle ne croyait pas vraiment.

« Je pense que je suis fatigué », déclara-t-il brusquement.

Ils quittèrent le pub, puis marchèrent jusque chez eux en silence. Agatha lui souhaita tristement bonne nuit avant de regagner son cottage. Au moins ses chats seraient-ils contents de la voir.

Elle ouvrit la porte, franchit le seuil, alluma la lumière de l'entrée.

Il y avait une enveloppe carrée blanche sur le paillasson. Elle la décacheta et sortit une feuille de papier où était tapé un simple message :

« Arrêtez de fourrer votre nez dans des affaires qui ne vous concernent pas, ou alors vous ne reverrez plus jamais vos chats. »

Elle poussa un gémissement affolé. Traversa la cuisine en courant pour ouvrir la porte de derrière. « Hodge ! Boswell ! » cria-t-elle, mais tout n'était que ténèbres et silence. Elle alluma les lumières extérieures. Son petit carré de jardin s'étendait devant elle. Aucune trace des chats.

Alors elle rentra, décrocha le téléphone et appela la police.

Les fenêtres de la chambre de James donnaient sur l'avant de son cottage. Il se déshabilla, se mit au lit, éteignit la lumière. Au moment où il s'apprêtait à fermer les paupières, une lueur bleue clignotante illumina le plafond, et il entendit une voiture passer en trombe dans la ruelle.

Il ralluma aussitôt la lumière et se rhabilla à la hâte. Alors qu'il sortait de chez lui, un autre véhicule de police arriva.

Il se précipita chez Agatha, espérant qu'elle allait bien, craignant d'avoir mis sa vie en danger en l'encourageant à se lancer dans cette chasse au meurtrier.

L'agent Griggs montait la garde sur le seuil.

« Vous pouvez entrer, Mr. Lacey, elle va avoir besoin d'aide.

– Que s'est-il passé ?

– Quelqu'un a volé ses chats. »

Soulagé qu'il ne soit rien arrivé à sa voisine, James faillit répondre : « C'est tout ? », mais ravala sa question juste à temps.

Le salon était envahi de policiers, en civil et en uniforme.

Bill Wong leva les yeux quand il entra. Le sergent avait un bras autour des épaules d'Agatha, qui sanglotait doucement. Elle ne s'était jamais considérée comme une amie des chats. En fait, il lui arrivait même de regretter la charge que représentaient Hodge et Boswell. Mais à présent, tout ce à quoi elle était capable de penser, c'était qu'ils avaient été abattus ou bien qu'ils étaient enfermés quelque part, maltraités et effrayés.

« Vous feriez mieux de vous asseoir et de nous dire tout ce que vous avez fait aujourd'hui, dit Bill à James. Agatha n'est pas en état de nous donner un compte rendu cohérent. Racontez-nous tout de A à Z, sans rien passer sous silence. »

Le seul élément dont James s'abstint de parler, ce fut qu'ils s'étaient fait passer pour des envoyés des services sociaux. D'une voix blanche, il rapporta les interrogatoires qu'ils avaient menés, leur excursion à Leamington, la découverte que Cheryl Mabbs avait volé des médicaments, y compris de l'adrénaline, et l'agression au pub.

Après quoi, il se tut, attendant un sermon, mais Bill se contenta de déclarer : « Nous allons faire taper votre déposition, vous la signerez demain. Il va falloir que nous interrogions tous les habitants de Lilac Lane pour savoir s'ils n'auraient pas vu quelqu'un ou entendu une voiture pendant que vous étiez au pub. »

Il se tourna ensuite vers Agatha et la questionna de nouveau avec douceur, prenant des notes tandis qu'elle confirmait le récit de James.

James gagna tranquillement la cuisine et

prépara du café. Des hommes saupoudraient la porte d'entrée du cottage pour relever d'éventuelles empreintes digitales, examinaient la route à la recherche de traces de pneu, passaient la pelouse de devant au peigne fin. Il s'assit à la table et, tout en écoutant le murmure des voix lui parvenant de la pièce voisine, se fit la réflexion qu'à l'origine il s'était retiré à la campagne pour trouver le calme et la tranquillité.

Au bout d'un moment, il se leva, rentra chez lui, dénicha un sac de couchage, mit son pyjama, sa brosse à dents et son nécessaire de rasage dans un sac, avant de retourner chez Agatha.

Bill et ses collègues étaient sur le point de partir. « Je vais dormir ici, en bas, cette nuit », annonça James, et le sergent hocha la tête.

Il trouva Mrs. Bloxby, l'épouse du pasteur, assise avec Agatha dans le séjour.

« Ce gentil Mr. Wong m'a téléphoné, expliqua-t-elle. Quelle affreuse histoire. Agatha ne doit pas rester seule.

— Elle ne le sera pas, dit James. Je vais dormir ici. Ne pleurez pas, Agatha. Les chats ont la vie dure.

— S'ils sont encore en vie, sanglota-t-elle.

— Je suis contente de savoir que vous restez, Mr. Lacey, dit Mrs. Bloxby. Mais appelez-moi si vous avez besoin de quoi que ce soit. »

James raccompagna l'épouse du pasteur, puis retourna auprès d'Agatha. « Allez, au lit, maintenant, fit-il avec douceur, je vais vous monter quelque chose pour vous aider à dormir. »

Agatha se frotta les yeux et se traîna à l'étage. Une part d'elle-même lui rappelait qu'il y avait très peu de temps, elle aurait été prête à n'importe quel sacrifice pour que son voisin reste dormir sous son toit et veille sur elle, mais l'autre suppliait qu'on lui rende ses chats.

Quand elle fut couchée, la porte s'ouvrit et James entra avec un plateau. « Du whisky avec de l'eau chaude et deux cachets d'aspirine, dit-il. Je serai en bas. Allez, cul sec. » Assis sur le bord du lit, il lui tint le verre jusqu'à ce qu'elle ait avalé l'aspirine.

Après son départ, elle resta allongée sans dormir, les larmes roulant lentement sur ses joues. Tout le monde lui paraissait sinistre à présent, même James. Que savait-elle de lui, au fond ? Un homme débarquait dans un village, il prétendait être colonel en retraite, et tous les habitants le croyaient sur sa bonne mine. Enfin, Bunty connaissait sa famille, et elle-même avait rencontré sa sœur il y avait un an de cela. Et pourtant, qu'il s'était montré terrible, terrifiant même, quand il avait donné une raclée au malheureux Jerry ! Qu'il s'était montré... Impitoyable, voilà le mot.

Elle sombra lentement dans le sommeil, poursuivie par des cauchemars. Freda torturait ses chats en riant sous le regard impassible de James ; Bill Wong l'invitait à dîner et lui servait ses chats rôtis sur un plateau ; Miss Webster s'activait à son bureau, avec Hodge et Boswell, empaillés et montés sur un socle, devant elle.

Elle se réveilla le lendemain matin. Le soleil inondait sa chambre ; du rez-de-chaussée montait une odeur de café, ainsi qu'un bourdonnement de voix. Elle regarda la pendule à côté de son lit. Dix heures !

Elle fit sa toilette, s'habilla puis descendit. Sa cuisine était pleine de femmes : des membres de la Société des dames de Carsely, pour la plupart, mais aussi Mrs. Harvey, de l'épicerie, et Mrs. Dunbridge, la femme du boucher. Et toutes ces dames se faisaient servir du café par James.

À son entrée, elles se pressèrent autour d'elle avec des murmures de compassion. Le plan de travail de sa cuisine croulait sous les gâteaux, les confitures et les fleurs apportés en cadeau. Même Miss Simms était venue.

« J'ai pris ma journée, expliqua-t-elle.

– C'est très gentil à vous, dit Agatha, mais je ne vois pas ce que vous pouvez faire.

– Mr. Lacey a eu une très bonne idée, intervint Mrs. Bloxby. Nous organisons une battue. Vos chats ont peut-être été abandonnés quelque part dans le village, alors nous allons toutes faire du porte-à-porte. Restez assise calmement avec Mr. Lacey, nous vous tiendrons au courant si nous trouvons quoi que ce soit. »

Agatha sortit brusquement de la pièce, se précipita dans la salle de bains et pleura toutes les larmes de son corps. Toute sa vie, elle était allée de l'avant, ambitieuse, déterminée à parvenir au sommet de sa profession, et toute sa vie, elle avait été seule. Tous ces témoignages d'amitié et ces propositions d'assistance la faisaient défaillir.

Quand elle redescendit, les yeux rougis mais ayant retrouvé son calme, il ne restait plus que James et Mrs. Parr.

« Mrs. Parr vient de me raconter à peu près la même histoire que Miss Simms, dit James. Bladen lui a parlé de sa clinique vétérinaire et lui a promis de lui donner son nom. Quand Mr. Parr s'est aperçu qu'il manquait de l'argent, il a piqué une crise.

– Je suppose que j'aurais pu commettre la même erreur, déclara lentement Agatha en se remémorant le dîner au restaurant grec. Quand il m'a parlé de ses projets, j'ai proposé de lui apporter une contribution, mais je pensais à un chèque de vingt livres. Et il était fin prêt à coucher avec moi, mais j'ai paniqué et je me suis enfuie. Est-ce que vous avez eu une liaison avec lui, Mrs. Parr ?

– Je n'aurais pas fait l'affaire, répondit la visiteuse. Ce n'est pas comme ça qu'il m'a eue. Non, j'étais tellement flattée, parce qu'il me disait que j'étais la seule femme qui le comprenait. Je ne suis pas très heureuse en ménage et, grâce à lui, j'avais l'impression d'être séduisante. J'aurais dû vous le dire avant, mais je me sentais tellement idiote. J'étais encore un peu amoureuse de lui quand il est mort, mais après l'enterrement, mes idées se sont éclaircies et j'ai vu ce qu'il avait fait.

– Mrs. Mason m'a raconté la même histoire pendant que vous étiez en haut, Agatha. Mrs. Parr, Paul Bladen était un joueur invétéré, c'est pour cela qu'il avait besoin de cet argent.

– C'est bizarre, pourtant, fit remarquer Agatha. Il ne l'a pas du tout dépensé. Enfin, c'est vrai, tout ce qu'il a soutiré aux dames de Carsely se trouvait encore sur son compte.

– Je vais me joindre aux recherches, annonça Mrs. Parr. C'est le moins que je puisse faire. »

« Merci pour tout, James », dit Agatha lorsqu'ils se retrouvèrent seuls. Une fois de plus, ses yeux se remplirent de larmes.

« Allons, allons, ce n'est plus le moment de pleurer. Asseyons-nous et discutons de ce que nous savons. Au lieu de nous dire que, par exemple, Freda est l'assassin parce que c'est elle qui a donné le plus d'argent, nous devrions plutôt nous demander qui, de par son *caractère*, était capable d'un tel acte.

– Qui peut prédire ce dont une personne est capable dans certaines circonstances ?

– Mais voyons, Agatha, vous ne tueriez personne, vous, si ? »

Personne, à part Freda, pensa-t-elle.

« Ce qu'il faut, poursuivit James, c'est dresser une liste des femmes suspectes, puis nous les répartir et suivre chacune d'elles pour voir ce qu'elle fait pendant la journée, qui elle rencontre et s'il y a quoi que ce soit de louche dans son comportement. Résumons : les femmes qui ont donné de l'argent à Bladen sont Mrs. Parr, Mrs. Mason, Freda, Miss Webster, Mrs. Josephs et Miss Simms. Ensuite, il faut prendre en compte l'ex-épouse de Paul Bladen, Greta. Et puis, il y a tout un versant de l'affaire que nous avons négligé. Bladen a été tué dans les écuries de lord Pendlebury. Quand il a découvert le corps, Bob Arthur est sorti en courant du bâtiment et il a crié : "On dirait qu'il s'est fait liquider." Pourquoi avoir dit ça ? Pourquoi ne pas avoir pensé à une crise cardiaque ou un truc de ce genre ? Et j'ai remarqué autre chose d'intéressant dans ses relevés de comptes. Il n'y a jamais de gros retraits : il devait donc avoir une réserve de liquide pour acheter à manger et inviter ses conquêtes. Comment a-t-il réglé l'addition au restaurant grec ?

– En liquide.

– Bien. Et Mrs. Arthur, alors ? Voilà une autre piste.

– C'est de pire en pire. Par où est-ce qu'on commence ?

– Je vais commencer par Freda. Oh ! ne faites pas cette grimace. La chasse à l'assassin est ma seule motivation. Vous, commencez par surveiller Mrs. Parr.

– Oh, voyons ! Cette femme ne ferait pas de mal à une mouche !

– Elle est terrorisée par son mari. Bladen le savait sans doute. Peut-être qu'elle ne nous a pas tout dit ? Peut-être qu'il la faisait chanter ? Allez, ça va vous occuper. Vous voulez récupérer vos chats, non ? »

Agatha grimaça.

« Bref, j'y vais, de mon côté. On se retrouve ici à, disons… six heures ce soir. Rien de tel qu'un peu d'action pour chasser le cafard, Agatha. »

Hébétée, elle s'affaira dans la cuisine après le départ de James, rangeant les différents cadeaux dans les placards. En dehors des gâteaux et des pots de confiture, il y avait un gros bouquet de fleurs séchées. Mais elles ne pouvaient guère venir de Miss Webster. Elle les fourra dans un vase, puis monta retoucher le maquillage que ses larmes avaient effacé.

Elle s'apprêtait à sortir lorsqu'elle s'arrêta net. La porte d'entrée était toujours couverte de la poussière destinée à révéler les empreintes digitales. Un rayon de soleil illumina un tout petit fragment coloré dépassant de la surface rêche du paillasson en fibre de coco. Elle se pencha, l'examina puis le décrocha. Perplexe, elle le retourna dans tous les sens. Puis son visage s'éclaira. C'était un minuscule pétale séché. Il avait dû tomber du bouquet de fleurs qu'on lui avait offert. Elle s'en débarrassa d'une pichenette et ouvrit la porte.

Puis se figea.

Elle fut brusquement ramenée au soir précédent : elle ramassait l'enveloppe sur le paillasson, la décachetait, sortait la lettre, la dépliait. Oui, elle était certaine qu'une sorte de petit confetti de couleur vive avait voleté jusqu'au sol.

9

Agatha ne se sentait pas dans son état normal quand elle sortit, hébétée, dans la lumière vive du soleil. Deux policiers interrogeaient les habitants des autres cottages de Lilac Lane. Les gens lui faisaient signe et l'apostrophaient, mais elle ne les entendait pas.

Agatha Raisin ne se demandait plus qui avait assassiné le vétérinaire et Mrs. Josephs. Tout ce qu'elle voulait, c'était récupérer ses chats.

En approchant de la boutique de Josephine Webster, elle vit une main blanche tourner l'écriteau sur la porte indiquant que le magasin était FERMÉ. Bien sûr : c'était l'heure de la pause de midi à Carsely. De toute façon, avec toutes les recherches en cours, si la fleuriste détenait ses chats, elle ne les gardait certainement pas dans sa boutique ni dans l'appartement au-dessus.

Agatha retourna chez elle et prit sa voiture. Garée, à une courte distance de la boutique, elle attendit, sans remarquer les gens qui passaient dans la grand-rue, l'esprit tout entier absorbé par Josephine Webster.

Puis Miss Webster sortit, toujours aussi soignée de sa personne, monta dans sa voiture garée devant le magasin et se mit en route. La mine sombre, Agatha la suivit. La fleuriste roula jusqu'à Moreton-in-Marsh puis s'engagea sur la Fosse Way. Agatha laissa une voiture s'intercaler entre elles et continua sa filature. La petite voiture rouge voguait sur les collines des Cotswolds, en direction de Mircester, le long de l'ancienne voie romaine qui file en ligne droite telle une flèche.

Agatha pénétra à sa suite dans un parking à plusieurs niveaux, se gara à une certaine distance et attendit qu'elle sorte et verrouille sa voiture pour descendre à son tour.

Josephine Webster commença par entrer dans une parapharmacie Boots, essaya plusieurs échantillons de parfum puis en acheta un flacon. De là, elle se rendit à une boutique de prêt-à-porter. Il faisait frisquet pour la saison, et Agatha attendit dehors en frissonnant. Enfin, elle risqua un coup d'œil à travers la vitrine. Miss Webster tournait devant un miroir, vêtue d'une robe rouge décolletée. Après avoir échangé quelques mots avec la vendeuse, elle disparut dans une cabine d'essayage. Dix minutes plus tard, elle ressortait du magasin avec un sac. De là, elle se dirigea vers une boutique de lingerie et, une fois de plus, Agatha se gela et s'agita nerveusement dehors jusqu'à ce qu'elle ressurgisse avec un autre sac portant le nom du magasin.

Quand elle se remit en route et s'engouffra sous le grand portique georgien de la bibliothèque municipale, Agatha commençait à désespérer. Tout ça était tellement innocent ! La peur qu'elle éprouvait pour ses chats avait déformé ses souvenirs. Ce petit pétale était sans doute tombé d'un bouquet le matin même. Mais l'obstination, la détermination et la ténacité qui lui avaient permis de réussir dans les affaires l'emportèrent sur ses doutes. Après avoir attendu dehors pendant une demi-heure, elle entra prudemment dans le bâtiment. Aucun signe de Miss Webster.

La fleuriste l'avait-elle repérée et s'était-elle enfuie par une petite porte ? En cherchant frénétiquement une sortie à l'arrière de la bibliothèque, Agatha faillit lui rentrer dedans : Josephine Webster lisait tranquillement, assise dans un fauteuil en cuir, dans l'un des renfoncements, ses achats posés à côté d'elle.

Agatha s'installa dans le renfoncement voisin, choisit un livre au hasard sur les rayons et fit semblant de lire. Son estomac gargouillait. Il fallait qu'elle mange quelque chose, mais elle n'osait pas sortir de la bibliothèque.

Au bout de deux heures, un bruissement de sacs de courses lui annonça que Miss Webster s'apprêtait à partir.

Elle attendit quelques secondes puis se leva avec

précaution et passa la tête au coin du box : la fleuriste s'éloignait en direction de la sortie. Elle la suivit, le cœur battant la chamade maintenant que la chasse avait repris.

L'autre avança en sautillant gaiement, comme si elle était l'insouciance même, puis pénétra au Palace Hotel.

Depuis le seuil, Agatha la vit s'engager dans un passage, à côté de la réception, au-dessus duquel était accroché un écriteau TOILETTES.

Elle acheta un journal au kiosque du hall de l'hôtel et se barricada derrière, assise dans un fauteuil, le baissant de temps à autre pour s'assurer que Miss Webster ne lui filait pas entre les doigts.

Au bout d'une heure entière, elle la vit ressurgir, vêtue de sa nouvelle robe et abondamment maquillée, sans ses sacs ni son manteau, qu'elle avait manifestement laissés au vestiaire. Agatha remonta brusquement le journal quand l'autre traversa le hall dans une nuée de parfum, puis le rabattit à temps pour la voir entrer dans le bar.

Tout ankylosée et affamée, elle rejeta son journal, passa prudemment la tête par la porte du bar, et recula aussi sec.

Miss Webster discutait avec Peter Rice, cet affreux rouquin qui avait été l'associé de Paul Bladen. Il avait dû entrer à un moment où toute l'attention d'Agatha était absorbée par la surveillance de Joséphine.

Agatha se rassit dans le hall, le cerveau en

ébullition. C'était peut-être un rendez-vous inno-cent. Oui, une minute... Miss Webster avait un chat. Elle avait très bien pu l'emmener se faire soigner à Mircester et lier amitié avec Peter Rice. Il n'y avait pas de mal à ça. Mais... Greta Bladen avait évoqué le fait que Peter Rice était un vieil ami à elle.

Elle jeta un coup d'œil alentour. Un panneau indiquait la direction du restaurant. Elle s'y ren-dit. Les employés dressaient juste les tables pour le dîner, mais le maître d'hôtel était déjà là. Elle lui demanda s'il y avait une réservation au nom d'un certain Peter Rice. Il vérifia. Oui, Mr. Rice avait réservé une table pour deux. Pour huit heures. Elle consulta sa montre. Il était seulement six heures et demie. Ils ne quitteraient pas l'hôtel. Il fallait, même si elle ne savait pas trop pourquoi, qu'elle aille voir Greta Bladen avant de venir reprendre sa surveillance.

Elle s'arrêta dans une cabine téléphonique sur le chemin du parking pour appeler James, mais personne ne décrocha. Alors elle se mit en route en espérant de tout cœur que Greta serait chez elle.

L'ex-épouse de Bladen ouvrit la porte et fronça les sourcils en voyant que sa visiteuse n'était autre qu'Agatha.

« Il faut que je vous parle, supplia Agatha. Vous comprenez, on m'a menacée. Quelqu'un a volé mes chats pour m'empêcher de poursuivre mon enquête, et je crois savoir qui est cette personne. »

Greta soupira, mais laissa la porte ouverte.

« Entrez. Je ne saisis pas bien ce que vous dites. Vous voulez dire que quelqu'un essaie de vous empêcher d'enquêter sur la mort de Paul ?

– Oui.

– Eh bien, ce n'est pas moi qui ai vos chats.

– Pourriez-vous me dire ce que vous savez de Peter Rice ?

– Peter ? Oh ! impossible qu'il soit impliqué là-dedans. Ça fait une éternité que je le connais.

– Parlez-moi quand même de lui.

– Je ne sais pas grand-chose. Il habitait dans la même rue que moi à Leamington, autrefois. Nous étions amis, nous jouions au tennis ensemble, mais nous n'avions pas de relation amoureuse. Disons qu'à l'époque, je n'imaginais pas qu'un homme puisse me considérer sous cet angle, alors j'appréciais sa compagnie, tout bonnement. Puis Paul est arrivé.

« Je pensais que Peter serait ravi que j'aie enfin trouvé le bonheur, mais il m'a fait une scène horrible. Il a dit qu'il s'apprêtait justement à me demander ma main ! L'amour fou que j'éprouvais pour Paul m'a en quelque sorte rendue insensible à son égard. Pour moi, ce bon vieux Peter déraillait, c'est tout. À notre rencontre suivante, il a demandé pardon pour la façon dont il s'était conduit et m'a annoncé qu'il déménageait à Mircester.

– Et vous ne l'avez jamais revu ? insista Agatha.

– Oh, si, bien sûr. Je l'ai rencontré quand Paul

s'est associé avec lui et, comme je vous l'ai dit, c'est Peter qui m'a suggéré d'aller jeter un œil à l'emplacement de la soi-disant clinique vétérinaire. Je lui ai raconté, bien plus tard, que j'avais été trompée. Après mon divorce, nous sommes allés dîner ensemble deux ou trois fois, mais il n'y avait rien entre nous, et pour être honnête, je pense vraiment qu'il n'y a jamais rien eu.

– Alors comment expliquez-vous la scène qu'il vous a faite quand vous lui avez annoncé votre mariage avec Paul ?

– Ah, ça ! Je crois que Peter aurait été jaloux si n'importe lequel, ou laquelle, de ses amis intimes s'était marié. C'était un homme très solitaire. Maintenant que j'y songe, je suppose que j'étais sa seule amie à Leamington.

– Pourquoi a-t-il décidé d'ouvrir un cabinet vétérinaire à Carsely ? C'est vrai, il y a beaucoup d'autres villages plus proches de Mircester, et plus gros, aussi.

– Laissez-moi réfléchir. Il m'en a parlé un jour où je l'ai rencontré sur la place. Il m'a dit : "J'ai enfin trouvé comment occuper utilement ton ex. Je crois qu'il vaut mieux qu'on travaille séparément, alors je lui ai dit d'ouvrir un cabinet à Carsely. Histoire de ne pas l'avoir toujours dans les jambes." J'ai demandé : "Pourquoi Carsely ?" Il m'a répondu qu'une amie à lui avait une boutique là-bas, et que, selon elle, il y avait de bonnes affaires à y faire.

– Josephine Webster, dit Agatha. Voilà donc le chaînon manquant. Et je crois savoir où sont mes chats. »

Elle se leva pour partir, les yeux hagards, les traits contractés.

« Si vous soupçonnez quelqu'un, allez voir la police », conseilla Greta.

Agatha se contenta de ricaner, sortit et regagna sa voiture.

Sur la route de Mircester, les pensées se bousculaient dans sa tête. Josephine Webster avait très bien pu prévenir Peter Rice des intentions de Mrs. Josephs. Elle avait très bien pu se trouver au pub quand Freda avait proclamé la découverte du flacon, et elle avait pu avertir Rice, ou alors aller elle-même subtiliser le flacon.

Agatha jeta un coup d'œil au tableau de bord. Huit heures. Peter Rice devait tout juste s'attabler pour dîner.

Elle se rendit droit au cabinet vétérinaire, se gara devant, puis descendit de sa voiture et en sortit un démonte-pneu. Le cabinet était un bâtiment bas, situé au fond d'un petit parking. Une lumière brillait au-dessus de la porte. Elle gagna le côté du bâtiment où, dans la pénombre, elle parvint tout de même à distinguer une porte vitrée. Elle n'avait ni le temps ni les compétences nécessaires pour appliquer les techniques de cambriolage de James. Elle fracassa le panneau de verre d'un coup de démonte-pneu.

Un tonnerre d'aboiements hystériques retentit à ses oreilles. Sans y prêter attention, l'air grave, elle enleva ce qu'il restait de verre avec ses mains gantées, puis passa le bras à l'intérieur et déverrouilla la porte.

Des yeux se braquèrent sur elle, brillants dans l'obscurité, et, au milieu des aboiements et autres glapissements, elle perçut quelques miaulements plaintifs.

« Au point où j'en suis », marmonna-t-elle, puis elle alluma la lumière.

« Chut ! » murmura-t-elle désespérément aux animaux prisonniers. Ses yeux balayèrent les rangées de cages. Et tombèrent sur celle où étaient enfermés Hodge et Boswell.

Avec un cri de joie, elle tira sur le loquet pour ouvrir la grille.

Les aboiements et les hurlements cessèrent brusquement. Agatha, qui tendait les bras pour attraper ses chats, prit conscience qu'une lourde menace planait dans la pièce. Elle entendit un bruit de pas étouffé et fit volte-face.

Dans le restaurant, Josephine Webster sourit au garçon qui reculait sa chaise. Peter Rice s'assit en face d'elle. Le maître d'hôtel s'inclina, leur donna la carte et fit quelques suggestions.

Lorsque leur commande eut été prise par l'un de ses sous-fifres, il rassembla les énormes cartes reliées de cuir et lança : « Est-ce que l'autre dame se joindra à vous ?

– Quelle autre dame ? » s'étonna Peter Rice, et la fleuriste de glousser et de demander : « Une des femmes de ton harem, Peter ?

– Une dame est venue tout à l'heure me demander si vous aviez réservé une table pour ce soir.

– Comment était-elle ? voulut savoir le vétérinaire.

– Âge mûr, cheveux châtains raides mais soigneusement coiffés, tenue très élégante.

– Non, elle ne se joindra pas à nous. Ne lancez pas ma commande. J'ai quelque chose à faire au cabinet. Servez un verre à Miss Webster et occupez-vous d'elle en attendant mon retour. »

James Lacey était inquiet. Il avait sonné plusieurs fois au cottage d'Agatha sans obtenir de réponse. Il n'avait pas pu tirer grand-chose de plus de Freda. Son ami aux cheveux argentés était tout le temps resté avec elle ; James n'avait pas réussi à lui parler en privé.

En attendant le retour d'Agatha, il décida de passer le temps en écrivant son livre, mais au lieu de cela, il se retrouva à prendre des notes sur l'affaire. Il écrivit longuement, puis poussa une exclamation, sélectionna un personnage et essaya de voir si tous les indices concordaient.

Il fut arraché à sa concentration par un coup de

sonnette. Bill Wong était sur le pas de sa porte, accompagné de l'inspecteur-chef Wilkes.

« Où est Agatha ? demanda le sergent.

– Elle n'est pas rentrée ? Nous étions censés nous retrouver à six heures. Sa voiture n'est pas là ?

– Non, et je commence à m'inquiéter. Il va falloir frapper aux portes et demander si personne ne l'a vue quitter le village.

– Je vais la chercher de mon côté, dit James. Tenez, jetez un coup d'œil à mes notes, Bill, et voyez si vous parvenez à la même conclusion que moi. »

James se rendit droit à la boutique de Josephine Webster. Elle était plongée dans l'obscurité, de même que l'appartement au-dessus, et il eut beau toquer, tambouriner, personne ne lui ouvrit. Une tête surgit d'une fenêtre voisine à l'étage, puis une voix d'homme fit : « Ça sert à rien d'faire tout c'raffut à ressusciter les morts. V'là d'puis midi qu'elle est partie à Mircester. »

James rentra chez lui, prit sa voiture et annonça à Bill qu'il soupçonnait qu'Agatha était à Mircester. Il était tout à coup certain de savoir où la trouver, et espéra de tout son cœur qu'il n'arriverait pas trop tard.

Agatha se redressa lentement.

Peter Rice se tenait dans l'encadrement de la porte, les yeux rivés sur elle. Elle perçut une fois de plus la puissance du corps qui supportait une tête d'une petitesse disproportionnée. Elle avait laissé le démonte-pneu par terre, à côté de la porte fracassée. Elle lança des regards en tous sens, à la recherche d'une arme.

« Ce n'est même pas la peine d'y penser », fit Rice. Il sortit un petit pistolet automatique de sa poche. « Entrez dans la salle d'examen, Mrs. Raisin. Personne ne viendra nous déranger. »

Malgré la peur qui la faisait défaillir, malgré sa vessie qu'elle sentait sur le point de lâcher, Agatha donna au passage un coup de pied dans la porte de la cage où se trouvaient ses chats et essaya de leur dire de s'enfuir par message télépathique. Rice éteignit la lumière de la pièce aux cages avant d'allumer celle de la salle d'examen.

Tout en la gardant dans sa ligne de mire, il demanda : « Comment avez-vous su que c'était moi ?

— Je ne savais pas vraiment. Mais j'ai deviné que c'était Josephine Webster qui avait enlevé mes chats et laissé le message. Alors je l'ai suivie, et je l'ai surprise avec vous. Vous ne pouvez pas me tirer dessus. La police trouverait mon corps et saurait que vous êtes coupable.

— Mrs. Raisin, vous avez pénétré dans mon cabinet par effraction. J'ai vu de la lumière, puis une silhouette à l'intérieur qui se dressait, ai-je cru, comme pour m'attaquer. Alors, j'ai tiré. Je défendais ma vie et ma propriété.

– J'ai laissé un message expliquant où j'allais. »

Il l'examina quelques instants puis esquissa un sourire.

« Non, c'est faux, sinon l'autre type, Lacey, serait là. Bref… » Il leva le pistolet de quelques petits centimètres.

« C'est à cause de Greta, n'est-ce pas ? demanda Agatha.

– Si on veut. Mais à l'époque, je n'envisageais pas de le tuer. Je n'y ai même pas pensé quand elle m'a dit qu'il l'avait escroquée. Non, ça m'est venu seulement quand il s'est mis à m'escroquer, moi. Alors là, j'ai commencé à m'énerver. Cette fameuse clinique vétérinaire, hein ! Quel bon plan pour arnaquer des femmes crédules. Nous avions une réceptionniste, ici, une gentille fille. Paul lui a mis le grappin dessus. Elle devait persuader les clients de payer le plus possible en liquide et le lui donner. Vous croyez qu'elle avait droit à un pourcentage ? Bien sûr que non ! Tout l'argent devait être investi dans cette clinique qui, évidemment, devait porter le nom de la jeune femme. J'avais pris de longues vacances pour aller pêcher. Ce cabinet est une affaire prospère. J'avais engagé un jeune vétérinaire pour me remplacer pendant mon absence et pour travailler avec Paul, parce que Paul s'occupait surtout des chevaux et des animaux de ferme. Quand je suis revenu, j'ai remarqué que le volume des affaires avait considérablement diminué. J'ai soupçonné mon remplaçant, mais un jour, alors que je discutais avec une de nos clientes, sur la place, nous nous plaignions des impôts et des taxes qui pèsent sur les entreprises en général, et elle a dit : "Je suppose que c'est pour ça que vous voulez autant d'argent liquide. Pour frauder le fisc. Votre réceptionniste demande toujours du liquide." Bien sûr, j'ai pris la fille entre quatre-z-yeux, elle a craqué, et elle m'a avoué qu'elle avait volé pour le bien commun, à savoir pour la fondation de cette clinique fictive. J'ai renvoyé la fille, mais pas Paul. Oh, non ! Il allait devoir me rembourser. En attendant, je ne voulais plus l'avoir dans les pattes. Comme Josephine disait que Carsely était un village où on fait de bonnes affaires, j'ai dit à Paul d'ouvrir un cabinet là-bas et de continuer à rouler ces dames en leur débitant ses fadaises s'il voulait, mais que tout l'argent récolté devait me revenir, à moi. Et au cas où il lui arriverait malheur, je l'ai obligé à faire un testament en ma faveur. J'ai dit que s'il ne me remboursait pas jusqu'au dernier penny, j'irais trouver la police. »

Agatha, raide comme une statue, vit du coin de l'œil que ses chats s'étaient glissés dans la pièce, à ses côtés.

« Je n'avais toujours pas l'intention de le tuer à ce moment-là. Mais l'une de ses victimes fut Miss Josephine Webster, dont j'avais fini par tomber amoureux. Elle est venue me trouver, en larmes, et m'a tout raconté. Je savais qu'il était chez Pendlebury ce jour-là. J'avais envie de l'insulter, de le renvoyer, lui balancer un coup de poing, mais c'est tout. Il était seul dans les écuries. Je l'ai vu avec la seringue, je savais ce qu'elle contenait, ce en quoi consistait l'opération. Quelque chose s'est emparé de moi, et l'instant d'après, il était mort. Je me suis éclipsé sans être vu. Je croyais que je ne risquais rien. Quand je me suis aperçu qu'il avait hypothéqué sa maison, j'ai été furieux, parce qu'au lieu de gagner à sa mort, j'y perdais. Le prix des maisons est au plus bas en ce moment. Josephine et moi, nous avions prévu d'annoncer nos fiançailles quand le calme serait revenu. Elle savait ce que j'avais fait. Et voilà que cette Mrs. Josephs est venue me trouver ici. Elle a dit que Paul l'avait roulée, qu'elle allait raconter la vérité à la police. Et qu'il lui avait dit que je l'avais encouragé à soutirer de l'argent aux habitantes de Carsely. Je lui ai promis de la rembourser. Et puis, j'ai paniqué quand Josephine m'a prévenu par téléphone que Mrs. Josephs était sur le point de tout vous révéler, à vous, espèce de sale petite fouineuse. Josephine m'a confié que la vieille souffrait de diabète. Là encore, je n'avais pas l'intention de la tuer, si elle était prête à entendre raison. J'ai essayé de lui rendre son argent, mais cette vieille folle a refusé. Elle était déterminée à aller trouver la police après vous avoir parlé. Je lui ai fait une piqûre d'adrénaline. Dès qu'elle a été morte, j'ai été pris d'une peur panique. Je l'ai traînée à l'étage dans l'espoir que, quand on la retrouverait, on songerait à un suicide ou à un accident. J'ai jeté le flacon vide par la vitre de ma voiture, comme si, en m'en débarrassant, je me lavais de la souillure du meurtre que j'avais commis. Mais il a fallu que vous vous mêliez encore de ce qui ne vous regardait pas, vous et Mr. Lacey. "Prends-lui ses chats, a suggéré Josephine. Ça lui clouera le bec." Quel gâchis ! Quel gâchis, bordel ! Mais je vais épouser Josephine, et ça, personne ne m'en empêchera. »

À cet instant, Hodge bondit sur la table d'examen et resta assis à les regarder l'un après l'autre.

Agatha sentit tout à coup l'odeur amère, nauséabonde, de sa propre peur. Son chat aussi. La queue de l'animal se gonfla telle celle d'un écureuil.

« Donc, Mrs. Raisin, il faut que j'en finisse. Je vous conseille de vous tenir tranquille et d'accepter le sort qui vous attend. »

Le doigt de Rice commença de presser la détente. Elle plongea sous la table au moment où un tir résonnait au-dessus de sa tête.

Une grosse main charnue la traîna hors de son refuge. Haletant, Rice l'envoya valser contre le mur. Hodge se jeta sur la figure du vétérinaire en crachant, toutes griffes dehors. Affolé, le vétérinaire essaya de se débarrasser du chat en tirant un coup de feu, mais son arme dévia brusquement et la balle fracassa une armoire remplie de flacons.

Pendant qu'il arrachait le chat de sa figure et le balançait à travers la pièce, Agatha essaya de lui envoyer la table d'examen dans le ventre, comme elle l'avait vu faire dans les films. Mais les pieds de cette table-là étaient fixés au sol. Elle plongea sur le côté au moment où Rice faisait de nouveau feu, se tordit la cheville, s'écroula par terre.

Elle ferma les yeux. C'était fini. La mort, enfin. Et tout à coup, la voix de Bill Wong retentit, comme venue du ciel : « Donnez-moi cette arme, Mr. Rice ! »

Il y eut un nouveau coup de feu, suivi d'un cri de Bill. Agatha hurla : « Non ! Non ! », puis elle sentit des mains puissantes la relever doucement et entendit la voix de James Lacey à son oreille qui disait : « Ce n'est rien, Agatha. Ne regardez pas. Rice s'est tiré dessus. Ne regardez pas. Venez avec moi. Détournez la tête. »

Elle se leva, s'agrippa à lui et enfouit la tête dans le tweed rêche de sa veste.

Trois heures plus tard, après avoir pris un bain, emmitouflée dans sa robe de chambre, elle était assise dans son salon avec ses chats sur les genoux, dorlotée par James Lacey.

« Bill Wong va venir nous voir, annonça-t-il. Et vous croyez qu'il nous est reconnaissant d'avoir résolu deux affaires de meurtre pour lui ? Pas le moins du monde !

– Nous ? C'est moi qui ai découvert la vérité sur Rice !

– J'en étais plus ou moins arrivé à la même conclusion, même s'il m'a fallu un peu de temps pour deviner que Josephine Webster était impliquée. Qu'est-ce qui vous a mise sur sa piste ? »

Agatha lui parla du pétale séché qu'elle avait découvert sur son paillasson.

« Mais vous auriez dû venir me trouver, s'exclama James, ou alors le dire à Bill Wong !

– Je ne pensais qu'à mes chats. C'est drôle, hein ? J'ai cru que mon cœur allait se briser quand on me les a pris. Mais maintenant qu'ils sont là, à ronronner tant qu'ils peuvent, ces deux bestioles qu'il faut nourrir et soigner, ils me font plutôt l'effet d'un enquiquinement quotidien !

– Pourtant, d'après ce que vous dites, Hodge vous a sauvé la vie. Je me demande s'ils ont mis la main sur Josephine Webster. Si elle attendait toujours au restaurant de l'hôtel. Bill et son chef ont filé là-bas pendant que nous étions obligés d'aller au commissariat nous coltiner ces dépositions interminables.

– Alors comme ça, vous aviez tout compris par vous-même ? » demanda Agatha.

James jeta une nouvelle bûche dans le feu, puis s'assit.

« Une fois que j'ai eu noté tout ce que chacun avait dit et fait, Peter Rice s'est imposé à moi comme le suspect numéro un. Il était assez fort pour avoir traîné Mrs. Josephs en haut des escaliers, il savait où se trouverait Bladen le jour où il a été assassiné, il connaissait l'opération pratiquée sur le cheval. On s'imagine toujours que les assassins planifient méthodiquement tous leurs actes, mais dans le cas de Rice, c'est la panique qui est la cause de tout, et aussi le hasard. Tout ce qu'il avait à faire, c'était d'attendre patiemment que Mrs. Josephs aille porter ses accusations devant la police. Les policiers n'auraient pas vu le rapport entre le libertinage et les techniques d'escroquerie de Paul Bladen d'un côté, et Peter Rice de l'autre. Je pense que c'est nous qui lui avons fait sérieusement perdre son sang-froid en fouinant un peu partout.

– Ne dites pas ça, supplia Agatha. Ça veut dire que nous sommes tous les deux directement responsables de la mort de Mrs. Josephs.

– Oh, il aurait perdu les pédales, de toute façon. » On sonna à la porte. « Ça doit être Bill, dit James, qui vient nous remonter les bretelles. »

Le policier était seul.

« C'est une visite informelle, expliqua-t-il en s'enfonçant avec lassitude dans le canapé à côté d'Agatha. Oui, on a mis la main sur Webster. Ça a dû vous paraître une éternité, Agatha, quand il essayait de vous tuer, mais elle était toujours à l'hôtel, à siroter des martinis, à l'endroit même où il l'avait laissée.

« Elle a tout nié en bloc, mais quand on l'a conduite au commissariat et qu'on lui a dit que Rice vous avait tout avoué, elle a craqué. C'est cruel, je l'admets, mais on ne lui avait pas encore annoncé qu'il était mort.

« Au moment où Paul Bladen a débarqué à

Carsely, ça faisait quelques mois qu'elle avait une liaison avec Peter Rice. Elle était restée vierge jusque-là. Vous vous rendez compte, à notre époque ! Après son aventure avec le vétérinaire de Mircester, elle a dû se prendre pour une femme fatale, et donc, quand il lui a semblé que Bladen lui faisait aussi la cour, ça lui est stupidement monté à la tête. Le soir où vous deviez le retrouver à Evesham, ce soir où il neigeait, c'est le soir où elle est allée chez lui pour lui donner un chèque. Alors Bladen, reconnaissant, a couché avec elle. Même s'il n'avait pas neigé, Agatha, il ne se serait sans doute pas montré au restau. C'est Josephine Webster qui vous a répondu au téléphone.

« Mais Bladen est retombé dans ses vieilles combines. Il lui a demandé plus d'argent, elle a pris peur et lui a dit qu'elle ne pouvait plus. Alors il s'est désintéressé d'elle, et elle, toute repentante, a couru dans les bras de Peter Rice, à qui elle a tout raconté. Pour Rice, l'histoire se répétait. Il avait été, d'après ce que je crois comprendre de votre déposition, Agatha, profondément amoureux de Greta. Paul la lui avait enlevée. Et maintenant, rebelote avec Josephine. Mais qu'est-ce qui vous a mise sur leur piste ?

– J'ai trouvé un pétale de fleur séché sur mon paillasson, répondit Agatha avec fierté. J'ai compris qu'il avait dû tomber du message laissé par la personne qui avait enlevé mes chats. Qui disait fleurs séchées, disait Josephine Webster.

– Ce genre de chose ne nous aurait pas échappé, protesta Bill, perplexe.

– C'est ce que j'ai pensé, dit James. Quelqu'un vous a apporté un bouquet de fleurs séchées le lendemain matin, Agatha, c'est certainement de là que le pétale est tombé.

– Pourquoi auriez-vous examiné de près le paillasson ? s'exclama-t-elle, hors d'elle. Vos hommes cherchaient *dehors*, où celui ou celle qui avait apporté la lettre s'était tenu, et aussi dans le jardin de derrière, parce que pour prendre mes chats, cette personne avait dû y pénétrer en empruntant le chemin qui sépare le jardin de James du mien. Ils ne se sont pas intéressés à mon paillasson !

– À mon avis, répondit Bill, vous finirez par découvrir que ce pétale venait du bouquet, Agatha. Vous avez fait une heureuse supposition, qui a d'ailleurs failli vous être fatale. Je ne vais pas vous faire la leçon sur la folie des enquêtes amateur ce soir. Bonté divine ! s'esclaffa-t-il, on a là un bel exemple de parfaits amateurs qui se sont lancés à la poursuite d'un autre parfait amateur. »

Agatha le mitrailla du regard.

« Enfin, je suis content que tout ça soit terminé. Je m'en vais suivre un stage de formation, donc je ne vous verrai pas pendant quelques semaines. » Bill se leva. « Vous avez vu le docteur, Agatha ? »

Elle fit non de la tête.

« Vous feriez mieux de consulter demain. Vous

allez vous écrouler, quand le contrecoup du choc va venir.

— Mais non, ça ira. » Elle gratifia James d'un regard d'adoration, auquel il répondit par un regard interloqué, avant de se lever et de lui demander : « Est-ce que vous voulez que je demande à Mrs. Bloxby de dormir chez vous, Agatha ?

— Non, dit-elle, déçue qu'il ne propose pas d'aller chercher son sac de couchage. Une bonne nuit de sommeil, et je serai d'aplomb. »

Après le départ des deux hommes, elle monta se coucher, ses deux chats trottinant à sa suite. Avant de sombrer dans le sommeil, elle eut un sourire. Tout était fini. Elle avait survécu. Elle se sentait en pleine forme. Pas besoin d'aller consulter un médecin. Il faudrait plus qu'un assassin pour faire flancher le moral d'Agatha Raisin !

10

Agatha vécut ensuite quelques jours merveilleux, même si James lui avait fait parvenir un message disant qu'il s'enfermait quelques semaines chez lui pour écrire.

De très nombreuses personnes lui rendirent visite pour entendre comment elle avait résolu les meurtres de Paul Bladen et de Mrs. Josephs, et elle ne se lassa pas de broder, enjolivant les détails, tant et si bien que lorsqu'elle donna enfin une petite causerie à la Société des dames de Carsely, c'était devenu un véritable roman à sensation.

« Comme tout ça est palpitant, à vous entendre, dit Mrs. Bloxby quand Agatha eut fini. Mais faites attention. Il faut parfois un peu de temps pour que la réalité s'impose à nous, et alors, vous risquez de beaucoup souffrir.

– Je ne mentais pas ! répondit Agatha avec fougue.

– Mais non, bien sûr que non. J'ai particulière-ment apprécié le moment où vous disiez à Peter

Rice : "Tuez-moi si vous l'osez, espèce de démon malfaisant !"

– Oh, eh bien, marmonna Agatha, en agitant les pieds et en évitant le regard calme de l'épouse du pasteur. Il me semble qu'on a bien droit à quelques licences poétiques. »

Mrs. Bloxby sourit et lui tendit un plateau. « Prenez donc une part de gâteau au carvi. »

À compter de ce moment, Agatha commença à se sentir extrêmement mal à l'aise. Elle en était arrivée à prendre sa version des événements, devenue un récit d'aventures haut en couleur, pour la réalité. En rentrant à pied du presbytère, elle remarqua combien il semblait faire *noir* dans le village, et que le réverbère près de l'arrêt de bus s'était, une fois de plus, éteint.

Les lilas de Lilac Lane, tous en fleur, murmuraient dans la brise nocturne, hochant leurs têtes empanachées comme s'ils médisaient d'elle tandis qu'elle filait à toutes jambes vers son cottage, en se faisant la réflexion que leur odeur lui rappelait les enterrements.

Elle entra chez elle. Comme les chats ne venaient pas à sa rencontre, elle laissa échapper un petit gémissement, puis se précipita dans la cuisine. Roulés en boule l'un contre l'autre dans leur panier, devant le fourneau, heureux d'être tous les deux, ils dormaient profondément et se moquaient éperdument de leur maîtresse effrayée, qui aurait bien voulu qu'ils se réveillent pour lui tenir compagnie.

Quand elle tendit la main pour allumer la bouilloire électrique, toutes les lumières s'éteignirent.

Littéralement terrorisée, elle tourna en trébuchant dans la cuisine à la recherche d'une lampe torche, jusqu'à ce qu'elle entende dans sa tête une petite voix sensée lui dire que ce n'était qu'une des fréquentes coupures de courant qui affectaient le village. Se forçant à rester calme, elle se souvint qu'elle avait des bougies dans le tiroir de la cuisine, en trouva une et l'alluma avec son briquet. À la lueur de la flamme, elle trouva un chandelier. *Autant aller me coucher*, pensa-t-elle.

C'était comme cela qu'on allait se coucher jadis, à l'époque où le cottage avait été construit : les gens montaient l'escalier dont elle gravissait les marches en ce moment même, et les ombres bondissaient devant eux dans la lueur tremblotante de la bougie. Toutes ces générations qui s'étaient succédé ! Tous ces morts ! Imaginez un peu le nombre de personnes qui avaient rendu leur dernier soupir dans la chambre même où elle se trouvait à présent ! Derrière la porte, sa robe de chambre ressemblait à un pendu. Des visages surgis du joli papier peint à fleurs la fixaient. Son corps se couvrit d'une sueur froide.

Elle se fit violence pour redescendre jusqu'au téléphone, dans l'entrée. Elle posa le chandelier par terre, s'assit à même le sol, cala l'appareil sur ses genoux et composa le numéro de James Lacey.

Il répondit d'une voix qui lui sembla sèche et énergique.

« James, dit-elle, est-ce que vous pouvez venir ?

– Je suis très occupé à écrire. C'est important ?

– James, j'ai peur.

– Qu'est-ce qui s'est passé ?

– Rien. C'est seulement que je commence à ressentir ce contrecoup contre lequel tout le monde m'a mise en garde.

– Ne vous inquiétez pas, vous ne serez plus longtemps seule. »

Elle resta où elle était. Sa peur l'avait quittée, maintenant qu'elle savait que James allait venir, mais elle décida qu'il valait mieux continuer d'avoir l'air effrayée. Peut-être qu'elle pourrait se jeter dans ses bras. Peut-être qu'il la serrerait tout contre lui, qu'il dirait : « Agatha, faisons plaisir à toutes ces commères et marions-nous. » Peut-être qu'il l'embrasserait. Voyons, quel effet cela ferait-il ?

Ce fantasme charmant se poursuivit jusqu'à ce qu'elle se rende compte qu'un temps considérable s'était écoulé. Bien sûr, il était sans doute en train de préparer son pyjama et son nécessaire de rasage, mais tout de même…

La sonnette retentit, ce qui la fit sursauter. Oui, elle allait se jeter dans ses bras.

« Allons, allons, Mrs. Raisin ! fit Mrs. Bloxby avec douceur. Je savais que ça arriverait ! »

Agatha ouvrit les yeux et recula, perdue. Elle

avait vu une silhouette sombre sur le pas de sa porte et l'avait prise pour James.

L'épouse du pasteur portait un nécessaire de voyage. « Mr. Lacey m'a appelée, et je suis venue aussi vite que j'ai pu. Le médecin est en route. »

Presque malade de déception, Agatha se laissa conduire dans la cuisine par Mrs. Bloxby. La lumière revint. Tout était normal.

Une fois qu'elle fut couchée, sous sédatif, que le médecin fut parti et que son ange gardien se fut endormi dans la chambre d'amis, Agatha, dans les vapes, put seulement se faire la remarque que décidément, James était un vrai chameau et un beau salaud.

Pendant la longue et malheureuse période de crises de panique et de cauchemars qui suivit, elle fut contente d'avoir des visiteurs dans la journée et, la nuit, la compagnie des membres de la Société des dames de Carsely, qui se relayaient pour dormir dans sa chambre d'amis. Aucune ne mentionna jamais James Lacey, et son cœur souffrait de se voir ainsi rejeté.

Puis ses peurs refluèrent tandis que son humeur s'améliorait sous l'effet de longues journées ensoleillées.

Dans un village aussi petit que Carsely, il était inévitable qu'elle croise James de temps à autre. Dans ces occasions, il lui souriait avec bienveillance et lui demandait des nouvelles de sa santé, il lui disait que les mots venaient facilement sur son clavier et qu'il travaillait dur. Il lui disait aussi qu'il faudrait qu'ils déjeunent ensemble un jour, cette remarque si typiquement anglaise qui en général n'engage absolument à rien. Elle le regardait avec une lueur d'amertume mêlée de souffrance dans ses petits yeux d'ours, mais elle lui répondait avec calme et politesse, en se faisant la réflexion qu'ils avaient un peu l'air de deux anciens amants, dont l'un regrettait désormais leur liaison passée.

Et puis un matin, à l'approche du déjeuner, on sonna à sa porte. Elle ne s'y précipitait plus dans l'espoir que ce serait James. Bill Wong se tenait sur le seuil.

« Ah ! c'est vous, fit-elle. Ça doit faire une éternité que vous êtes rentré de ce stage.

— En effet, répondit Bill, mais une nouvelle affaire s'est présentée, pour laquelle il a fallu collaborer avec la police du Yorkshire, alors je me suis un peu baladé. Vous ne m'invitez pas à entrer ?

— Si, bien sûr. On peut prendre le café dans le jardin.

— Lacey est dans les parages ? demanda le sergent en la suivant dehors.

— Non, répondit-elle d'un air lugubre. En fait, à part pour échanger quelques mots du genre : "Comment ça va ?" ou "Quel temps superbe, hein ?", à la caisse de l'épicerie, je ne l'ai quasiment pas vu.

— Bizarre, ça. Je croyais que vous vous entendiez comme larrons en foire, tous les deux.

– Eh bien, c'est faux », répondit-elle d'un ton brusque. Elle avait acheté un nouveau salon de jardin. « Asseyez-vous, Bill. Je m'apprêtais à manger un morceau. Poulet froid et salade, ça vous va ?

– Tout me va. Votre jardin aurait bien besoin de quelques fleurs. Ça vous ferait une occupation.

– Peut-être. Je vais chercher les plats. »

Tout en mangeant, Bill lui raconta l'enquête sur laquelle il travaillait en ce moment et, de fil en aiguille, ils en vinrent à discuter de l'affaire Peter Rice.

« C'est curieux, quand on repense au couple que formaient Rice et Webster. Ce n'étaient pas franchement Roméo et Juliette, mais il y avait de la passion entre eux, une véritable passion. Prenez d'un côté un homme qui se croit trop affreux pour séduire une femme, une vierge de l'autre, et vous obtenez un cocktail explosif. Quand Rice a découvert qu'elle avait couché avec Bladen, ça a dû lui briser le cœur. L'histoire se répétait. D'abord Greta, maintenant Josephine. Mais Josephine lui revient. Qu'il ait tué Bladen ne la choque pas. Ce crime les lie encore plus étroitement qu'avant, et ce lien ne fait que se renforcer avec la mort de Mrs. Josephs. »

Bill regarda autour de lui.

« On ne croirait jamais, quand on traverse en voiture ces jolis villages des Cotswolds, que les poutres apparentes de leurs vieux cottages puissent abriter autant de colère, de terreur et de passion.

Vous savez, Agatha, Lacey est un drôle d'oiseau. Des gars comme lui, il y en a pas mal, dans l'armée. Il a seulement la cinquantaine, ce n'est pas terriblement vieux pour notre époque.

– Merci ! fit-elle d'un ton sec.

– S'il avait été marié, il aurait peut-être été une cible plus facile, mais ces militaires célibataires, eh bien, on dirait qu'ils sont sortis d'un monastère. Jouez l'indifférence, et il viendra vers vous.

– Je ne m'intéresse pas du tout à lui, répondit-elle d'une voix égale.

– Je crois au contraire que vous vous intéressez trop à lui, et c'est ce qui l'a fait fuir.

– Oh, vraiment, si jeune, et déjà si sage ! Et votre vie amoureuse à vous, comment se porte-t-elle ?

– Pas mal du tout. Vous voyez le supermarché Safeways de Mircester ?

– Oui.

– Il y a une jolie fille qui travaille à la caisse. Elle s'appelle Sandra. Je sors avec elle.

– C'est bien, dit Agatha qui se sentait confusément jalouse.

– Bon, il vaut mieux que j'y aille. Et tenez-vous à l'écart des meurtres, hein, Agatha ! »

Après le départ de Bill, elle se rendit à la jardinerie de Batsford, au pied de Bourton-on-the-Hill, et regarda les plantes et les fleurs en vente. Il y avait aussi des arbres adultes. Du prêt-à-planter, voilà ce qu'il lui fallait. Mais quelque chose de modeste, pour le moment. Quelques fleurs pour les bordures de sa pelouse, à l'arrière du cottage. Un panier suspendu pour l'avant. Elle décida qu'elle commencerait par planter des impatiens et des pensées.

C'était un travail relaxant, les chats jouaient autour d'elle dans le soleil, et elle était tellement absorbée par sa tâche qu'elle mit un moment à s'apercevoir qu'on sonnait à la porte.

Si seulement ça pouvait être...

Elle eut un mouvement de recul en se retrouvant face à Freda Huntingdon.

« Qu'est-ce que vous voulez ? demanda-t-elle avec irritation.

— Enterrer la hache de guerre. Allez, venez avec moi au pub. J'ai envie de me bourrer la gueule. J'en ai marre des mecs. »

La curiosité livra bataille au dégoût dans l'esprit d'Agatha, et la curiosité l'emporta.

« Qu'est-ce qui s'est passé ?

— Venez avec moi au pub, je vous raconterai. »

Seule l'idée que cela avait peut-être un rapport avec James incita Agatha à accompagner Freda.

Arrivées au Red Lion, elles allèrent s'asseoir avec chacune un grand verre de gin offert par Freda.

« Je songe à vendre ma maison, annonça-t-elle. Tout est allé de travers depuis que je me suis installée ici.

— Vous voulez parler de Bladen ?

— Entre autres. Vous comprenez, George, mon mari, était beaucoup plus âgé que moi, mais plein aux as. On voyageait beaucoup, on allait dans des endroits exotiques. Mais il me surveillait de près, et j'avais l'habitude de rêver à la liberté que j'aurais s'il mourait brusquement en me laissant sa fortune.

« Eh bien, c'est arrivé. Après deux ou trois liaisons malheureuses, je me suis dit : "Oh, et puis, la barbe ! Je vais emménager dans les Cotswolds, m'acheter un joli petit cottage et me chercher un nouveau mari." J'ai jeté mon dévolu sur Lacey. Désolée d'avoir été aussi garce : j'étais vraiment entichée de lui. Mais rien à espérer de ce côté-là. L'histoire avec Bladen m'a laissée comme deux ronds de flan. Je croyais dur comme fer qu'il était fou amoureux de moi ! Je croyais aussi dur comme fer à toutes ses conneries à propos de la clinique. Du temps de George, je pensais que c'était moi la plus avertie, moi la maligne, la perspicace, mais en fait, de nous deux, c'était lui le cerveau. Et puis Tony a débarqué. Le gars avec qui vous m'avez vue au pub. C'était pas un adonis, mais il avait une affaire qui marchait bien, du côté de Gloucester. Hier j'ai reçu la visite de sa femme. Sa femme ! Et lui qui jurait qu'il était veuf ! » Elle se mit à pleurnicher lamentablement. « Je suis une vieille traînée, et stupide, avec ça !

– Vous avez besoin d'un autre grand verre de gin », répondit Agatha, toujours aussi pragmatique.

James Lacey relut ce qu'il avait écrit et poussa un gémissement. Fort des expériences qu'il avait vécues pendant l'affaire Bladen, il s'était dit qu'il allait écrire un roman à énigmes. Comme les mots avaient coulé sous ses doigts ! Comme les milliers de petites lettres s'étaient accumulées rapidement sur l'écran de son ordinateur ! Mais les écailles lui étaient tombées des yeux. Les pages qu'il avait devant lui ne valaient pas un clou.

Les fenêtres de son cottage étaient toutes ouvertes parce qu'il faisait chaud ce jour-là. De la maison voisine lui parvenait un bruit de voix, ainsi qu'un tintement de verres et de porcelaine. Il sortit dans son jardin et jeta un coup d'œil par-dessus la haie. Bill Wong et Agatha déjeunaient, en pleine conversation. Il aurait aimé pouvoir se joindre à eux, mais il s'était montré froid avec sa voisine, il l'avait snobée, et maintenant, il ne pouvait plus revenir en arrière.

Rentré dans sa maison, il bricola misérablement à droite et à gauche. Au bout d'un moment, il entendit Bill partir, puis, peu après, il vit Agatha s'en aller en voiture.

Il ressortit dans son jardin plus tard dans l'après-midi et entreprit de désherber ses plates-bandes. En entendant bouger dans le jardin voisin, il jeta un nouveau coup d'œil par-dessus la haie. Agatha plantait des rangées de pensées. Il était sûr qu'elle n'y connaissait rien en jardinage. S'il n'avait pas été aussi stupide, il aurait tranquillement pu aller bavarder avec elle. Mais vraiment ! Toutes ces femmes qui attendaient qu'il les demande en mariage ! Et Agatha ! La façon dont elle l'avait regardé !

D'un autre côté, elle avait échappé de peu à la mort. Il lui était déjà arrivé de mal interpréter les regards qu'elle lui lançait. Tout ça, c'était la faute de cette foutue femme de capitaine, à Chypre. Il n'aurait jamais dû avoir une aventure avec elle. Le scandale que ça avait causé ! Elle lui avait couru après, *elle* avait flirté avec lui, mais quand le scandale avait éclaté, c'était lui qui était apparu comme le coupable, lui le monstre qui l'avait séduite, qui avait essayé de l'arracher à son noble et vaillant époux.

Il s'installa confortablement pour lire un roman policier de Reginald Hill, qu'il trouva si bon que c'en était déprimant.

Dans la soirée, il entendit chanter bruyamment dans la ruelle.

Étonné, il sortit sur le pas de sa porte et attendit dans l'air du soir.

Titubant bras dessus, bras dessous, et chantant « Comme d'habitude », Agatha et Freda Huntingdon approchaient.

Lorsqu'elles arrivèrent à sa hauteur, elles se turent. Freda hoqueta, puis lança : « Les hommes ! » Quant à Agatha Raisin, elle eut un large sourire et lui fit un doigt d'honneur, mais dans le mauvais sens.

James battit en retraite et claqua la porte tandis que, riant et criant, l'improbable tandem poursuivait son chemin.

AGATHA RAISIN ENQUÊTE
AUX ÉDITIONS ALBIN MICHEL

LA QUICHE FATALE

Composition Nord compo
Éditions Albin Michel
22, rue Huyghens, 75014 Paris
www.albin-michel.fr
ISBN : 978-2-226-31831-2
N° d'édition : 21590/01
Dépôt légal : juin 2016
Imprimé au Canada chez Freisens